nuevo PRISMA

Curso de español para extranjeros

LIBRO DE EJERCICIOS

María Ángeles Casado

Anna María Martínez

Nuevo Prisma. Nivel A1. Libro de ejercicios

© **Editorial Edinumen**, 2012
© **Autores:** María Ángeles Casado y Anna María Martínez

ISBN Libro de ejercicios: 978-84-9848-601-8
Depósito Legal: M-38550-2018
Impreso en España
Printed in Spain
0922

1.ª edición: 2013
1.ª reimpresión: 2014
Reimpresiones: 2015, 2017, 2018, 2019, 2020, 2021

Un espacio en constante actualización

- Las **audiciones** de este libro se encuentran disponibles y descargables en nuestra plataforma educativa.
- Para acceder a este espacio, entra en la **ELEteca** (https://eleteca.edinumen.es), activa el código que tienes a continuación y sigue las instrucciones.

CÓDIGO DE ACCESO

t2Jp4rUqFr

Para más información, consultar los términos de uso de la ELEteca.

Coordinación pedagógica:
María José Gelabert

Coordinación editorial:
Mar Menéndez

Diseño de cubierta:
Juanjo López

Diseño y maquetación:
Ana M.ª Gil

Fotografías:
Archivo Edinumen

Impresión:
Gráficas Glodami. Madrid

Editorial Edinumen
José Celestino Mutis, 4. 28028 - Madrid
Teléfono: 91 308 51 42
e-mail: edinumen@edinumen.es
www.edinumen.es

ÍNDICE

Todas las unidades incluyen un apartado denominado *Actividades por destrezas* que reproduce las pruebas del **examen DELE** (Diploma de Español como Lengua Extranjera) nivel A1 con un doble objetivo:

- trabajar los contenidos de la unidad en cada una de las destrezas principales;
- conocer y practicar estas pruebas específicas para aquel estudiante que tenga previsto presentarse al examen DELE A1.

A este respecto, a partir de la unidad 6, se reproducen las instrucciones propias de cada prueba con el fin de que estos estudiantes se familiaricen con el examen en todos los aspectos: lenguaje, formato, etc.

1 ¿QUÉ TAL?

>| 1 | Clasifica estas expresiones.

*** Hola * Hasta mañana * ¿Qué tal?**
*** Buenas tardes * Hasta luego**
*** Buenos días * ¿Cómo estás? * Adiós**

SALUDOS	*DESPEDIDAS*

>| 2 | Tres de estos diálogos contienen algún error. Localiza los errores y corrígelos.

Ejemplo: a. *Hola, ¿qué tal?*
b. *~~Adiós~~. Hola/Bien, ¿y tú?*

1. Estos son Filipo y Luigi, compañeros de tu clase de español.
   Muy bien, gracias.
2. Mire, le presento a la profesora Martínez.
   ¿Qué tal está?
3. Buenos días, soy el doctor Cosmes.
   Buenas noches.
4. ¿Cómo está usted?
   Bien, gracias, ¿y usted?
5. Somos Javi y Carlos, ¿y vosotras?
   Me llamo Celia.

>| 3 | Escucha y clasifica los nombres y apellidos que se dicen. | 1 |

NOMBRES	APELLIDOS

>| 4 | Escribe la letra que corresponde a cada nombre.

Ejemplo: *efe: ..f..*

1. erre: ......
2. uve: ......
3. ce: ......
4. eñe: ......
5. te: ......
6. ese: ......
7. zeta: ......
8. pe: ......

G A Ñ J P O L C D Z F H Y K M X N I Q R S B T U V W E

>| 5 | Escucha y señala qué nombres son.

|2|

Carlos * Fabiana * Dani

Begoña * Juan * Joaquín

Carlota * Victoria * Luis

Víctor * Paco * Miriam

>| 6 | Encuentra el nombre de la persona.

Ejemplo: *ese/o/ene/i/a:* Sonia..................

1. be/a/erre/te/o/ele/o/eme/é: ....
2. erre/o/be/e/erre/te/o: ....
3. pe/a/be/ele/o: ....
4. e/ele/e/ene/a: ....
5. efe/e/erre/ene/a/ene/de/o: ....
6. be/e/ge/o/eñe/a: ....
7. eme/a/erre/te/a: ....
8. ene/a/zeta/a/erre/e/te: ....

>| 7 | Ordena los pronombres sujeto en dos columnas: singular y plural.

* ustedes * yo * nosotros * vosotras * tú * ellos * usted * ella * nosotras * él * vos * vosotros * ellas

SINGULAR

PLURAL

>| 8 | Completa con los pronombres *me, te, se, nos, os, se.*

1. Buenos días, ¿cómo .... llamas?
   .... llamo Lidia.
2. Hola, ¿cómo .... llama tu hermano?
   .... llama Alberto.
3. Hola, buenos días, ¿cómo .... llaman tus padres?
   .... llaman José y Ana.
4. Hola, ¿cómo .... llamáis vosotras?
   .... llamamos Ángeles y Mía.

>| 9 | Completa con la forma correcta del verbo *ser.*

1. El doctor Vázquez .... cirujano.
2. .... mi profesora de español, se llama Carmen.
3. Yo .... masajista y tú .... mi paciente.
4. Nosotros .... de Guadalajara, México.
5. Ellos .... extranjeros, ¿no?
6. ¿De dónde ...., Verónica?
7. Vosotros .... de aquí, ¿verdad?

>|10| Relaciona y forma frases.

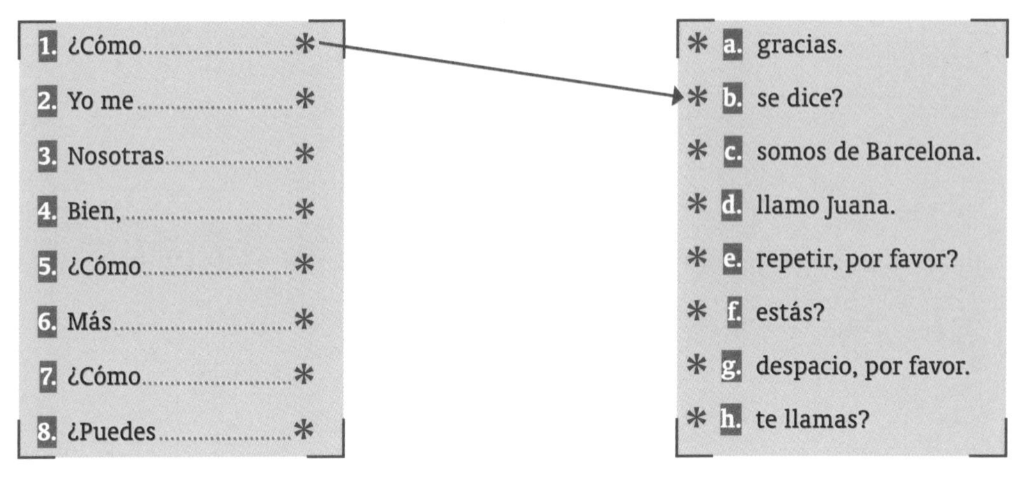

1. ¿Cómo.......................... *
2. Yo me.......................... *
3. Nosotras.......................... *
4. Bien,.......................... *
5. ¿Cómo.......................... *
6. Más.......................... *
7. ¿Cómo.......................... *
8. ¿Puedes.......................... *

* a. gracias.
* b. se dice?
* c. somos de Barcelona.
* d. llamo Juana.
* e. repetir, por favor?
* f. estás?
* g. despacio, por favor.
* h. te llamas?

>| 11 | Escribe las abreviaturas.

1. doctor	3. señor	5. señores	7. profesora ....
2. doctora	4. señora	6. señoras	8. profesor ....

>|12| Escucha las frases y completa la pregunta que les corresponde.

| 3 |

1. Usted es de España, ¿.........................?
2. ¿......................... "hello" en español?
3. ¿Cómo ....?
4. ¿Puedes ...., por favor?

>|13| Escribe un diálogo.

A. Preséntate a tu compañero. Utiliza las siguientes expresiones.

× ser × llamarse × ser de × saludar × despedirse

B. Interrumpe a tu compañero. Utiliza las siguientes expresiones.

× ¿Puedes repetir..., por favor?
× ¿Cómo se deletrea tu apellido?
× ¡Más despacio, por favor!
× Se dice..., ¿verdad?

>|14| Completa el texto con *ser* y *llamarse*.

Yo **(1)**............. Lola. Vivo y trabajo en Valencia, pero **(2)**............. de Salamanca. **(3)**............. profesora de español para extranjeros. Mi marido **(4)**................ Pedro y **(5)**................ informático. **(6)**............. madrileño. Mi madre y mi padre **(7)**............. andaluces, de Sevilla. **(8)**............. Juana y Alfonso. Mi amiga Celeste **(9)**................ colombiana, **(10)**................ Celeste María Barroso, **(11)**.......... cirujana en el hospital Virgen de la Vega, en Salamanca. Y mis amigos suecos **(12)**.......... Ingrid y Erik, **(13)**............ profesores de inglés en la Escuela Oficial de Idiomas de Valencia.

>|15| Escribe un texto similar al anterior.

....

....

....

....

....

ACTIVIDADES POR DESTREZAS

PRUEBA DE COMPRENSIÓN DE LECTURA

>|16| Lee y relaciona. Hay tres frases de más.

- **A** ¿Cómo se escribe Barcelona?
- **B** Tú eres estudiante de español.
- **C** Nosotros, vosotros, ellos.
- **D** ¿Cómo te llamas?
- **E** En español hay dos signos de interrogación.
- **F** Hola, soy Ana.
- **G** Adiós, buenas tardes.
- **H** Sebastián es alemán.
- **I** ¿Cómo se apellida usted?
- **J** Miren, les presento a Ernesto.

- **0** Se escribe con B. .... A
- **1** Mi apellido es González. .... ☐
- **2** ¿? .... ☐
- **3** Saludar y decir el nombre. .... ☐
- **4** Preguntar el nombre. .... ☐
- **5** Nacionalidad. .... ☐
- **6** Presentar. .... ☐

PRUEBA DE COMPRENSIÓN AUDITIVA

>|17| Escucha lo diálogos y marca la opción correcta (A, B o C). Cada diálogo se repite dos veces.

|4|

0 ○ a.

○ b.

✓ c.

1 ○ **a.**

○ **b.**

○ **c.**

2 ○ **a.** Pe/a/ere/e/zeta ○ **b.** Pe/e/ere/e/zeta ○ **c.** Be/a/ere/e/zeta

3 ○ **a.**

○ **b.**

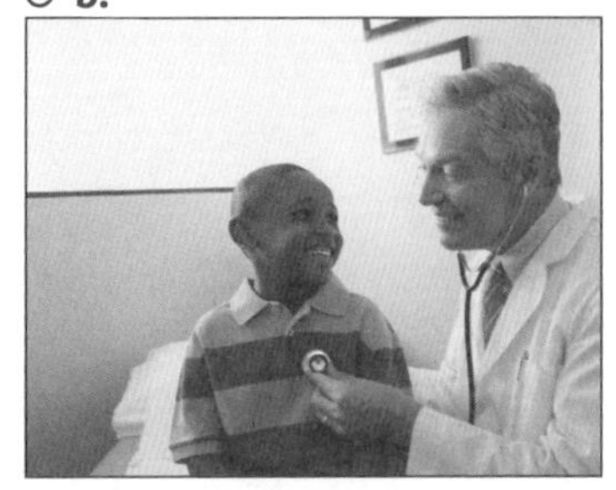

○ **c.**

4 ○ **a.**

○ **b.**

○ **c.**

5 ○ **a.**

○ **b.**

○ **c.**

PRUEBA DE EXPRESIÓN E INTERACCIÓN ESCRITAS

Tarea 1

>18 Es tu primer día de clase y llegas tarde. Responde a las preguntas del profesor.

Profesor: Hola, buenos días.

Usted: ....

Profesor: ¿Qué tal está?

Usted: ....

Profesor: ¿Cómo se llama?

Usted: ....

Profesor: Perdone, ¿puede deletrear su apellido, por favor?

Usted: ....

Profesor: Gracias.

Usted: ....

Profesor: ¿De dónde es?

Usted: ....

Profesor: ¿Habla un poco de español?

Usted: ....

Profesor: Siéntese aquí, con Harima.

Usted: ....

Profesor: De nada.

Tarea 2

>|**19**| Escribe un diálogo de presentación con tu compañera Harima.

Harima: Hola,...

Usted: ....

Harima: ....

Usted: ....

Harima: ....

Usted: ....

Harima: ....

Usted: ....

PRUEBA DE EXPRESIÓN E INTERACCIÓN ORALES

>|**20**| Preséntate durante 1 minuto. Sigue las pautas.

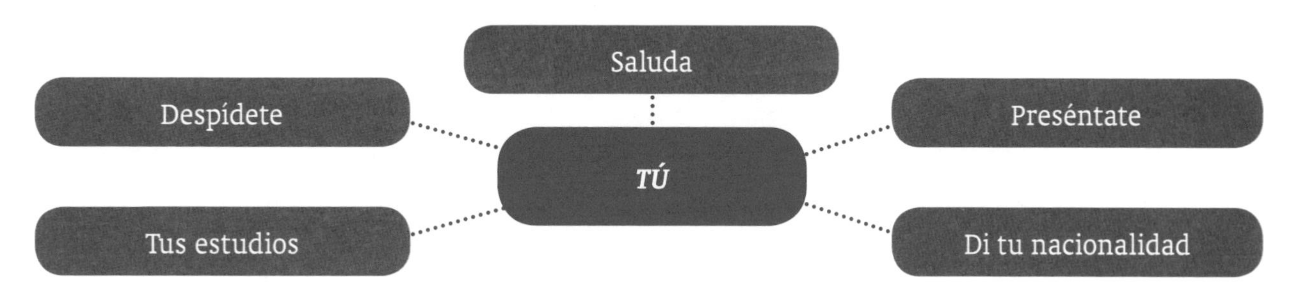

2 ESTUDIANTE DE PROFESIÓN

>| 1 | Las siguientes palabras tienen una letra incorrecta. Corrígelas y subraya la letra que has cambiado.

Ejemplo: *RICCIONARIO* → *diccionario*

1. BUERTA ....
2. POTULADOR ....
3. AMARILLE ....
4. POLIO ....
5. ISTUDIANTE ....
6. TREZ ....
7. POZARRA ....
8. BULÍGRAFO ....
9. CISCO ....

>| 2 | Escribe las letras corregidas del ejercicio anterior para encontrar la palabra escondida.

☐☐☐☐☐☐☐☐☐

>| 3 | [5] Begoña, comercial del periódico *El Nuevo Mundo*, le pide sus datos personales a Koldo para renovar su suscripción anual al periódico. Escucha la grabación y responde a las preguntas.

Nombre:		Lengua:	
Nacionalidad:		Profesión:	
Dirección:		Mascota:	
Edad:		Periodista preferido:	

>| 4 | Sois dos amigos estadounidenses que pasáis un tiempo en Barcelona y estáis buscando trabajo en una oficina de trabajo temporal. Completa el diálogo.

Secretaria: Hola, buenos días. ¿Qué desean?

Tú y tu amigo: Somos dos amigos que queremos trabajar una temporada.

Secretaria: ¿Cómo se llaman ustedes?

Tú y tu amigo: ....

Secretaria: ¿De dónde son?

Tú y tu amigo: ....

Secretaria: ¿Cuántos años tienen?

Tú y tu amigo: *(Diferentes edades)* ....

Secretaria: ¿Cuál es su domicilio en Barcelona?

Tú y tu amigo: *(Los dos vivís juntos)* ....

Secretaria: ¿Cuánto tiempo van a estar aquí?

Tú y tu amigo: *(Menos de un año)* ....

Secretaria: ¿Qué lenguas hablan?

Tú y tu amigo: *(Dos, mínimo)* ....

Secretaria: ¿A qué se dedican normalmente?

Tú y tu amigo: *(Los dos tenéis la misma profesión)* ....

Secretaria: ¿De qué quieren trabajar?

Tú y tu amigo: ....

Secretaria: ¿Me dicen un número de teléfono?

Tú y tu amigo: ....

Secretaria: Gracias y ya les llamaremos. Adiós y hasta pronto.

Tú y tu amigo: *(Despedíos)* ....

5 Escribe el artículo determinado correspondiente.

1. *El día*
2. ...... clase
3. ...... tres
4. ...... bolígrafo
5. ...... mapa
6. ...... perro
7. ...... canción
8. ...... madre
9. ...... problema
10. ...... estudiante
11. ...... plano
12. ...... lunes
13. ...... papelera
14. ...... yegua
15. ...... artista

6 Ahora transforma los artículos y los nombres de singular a plural. ¿Cambian todos los sustantivos?

1. *Los días*
2. ...... clase...
3. ...... tres...
4. ...... bolígrafo...
5. ...... mapa...
6. ...... perro...
7. ...... canción...
8. ...... madre...
9. ...... problema...
10. ...... estudiante...
11. ...... plano...
12. ...... lunes...
13. ...... papelera...
14. ...... yegua...
15. ...... artista...

7 Sigue las indicaciones.

1. Día → *pon el artículo:* ....
2. Miércoles → *escribe el plural:* ....
3. Niña → *escribe el masculino:* ....
4. Rojo → *cambia el número:* ....
5. Ciudad → *escribe el artículo:* ....
6. Lápiz → *escribe el plural:* ....
7. Estrés → *escribe el singular:* ....
8. Grande → *escribe el femenino:* ....

8 Encuentra en el ejercicio anterior dos adjetivos y di qué genero (masculino-femenino) y número (singular-plural) tienen.

1. .... género: .... número: ....
2. .... género: .... número: ....

>| 9 | Escribe el nombre de estos objetos de clase en singular o en plural según el número de ellos que aparece en la imagen. Puedes usar el diccionario.

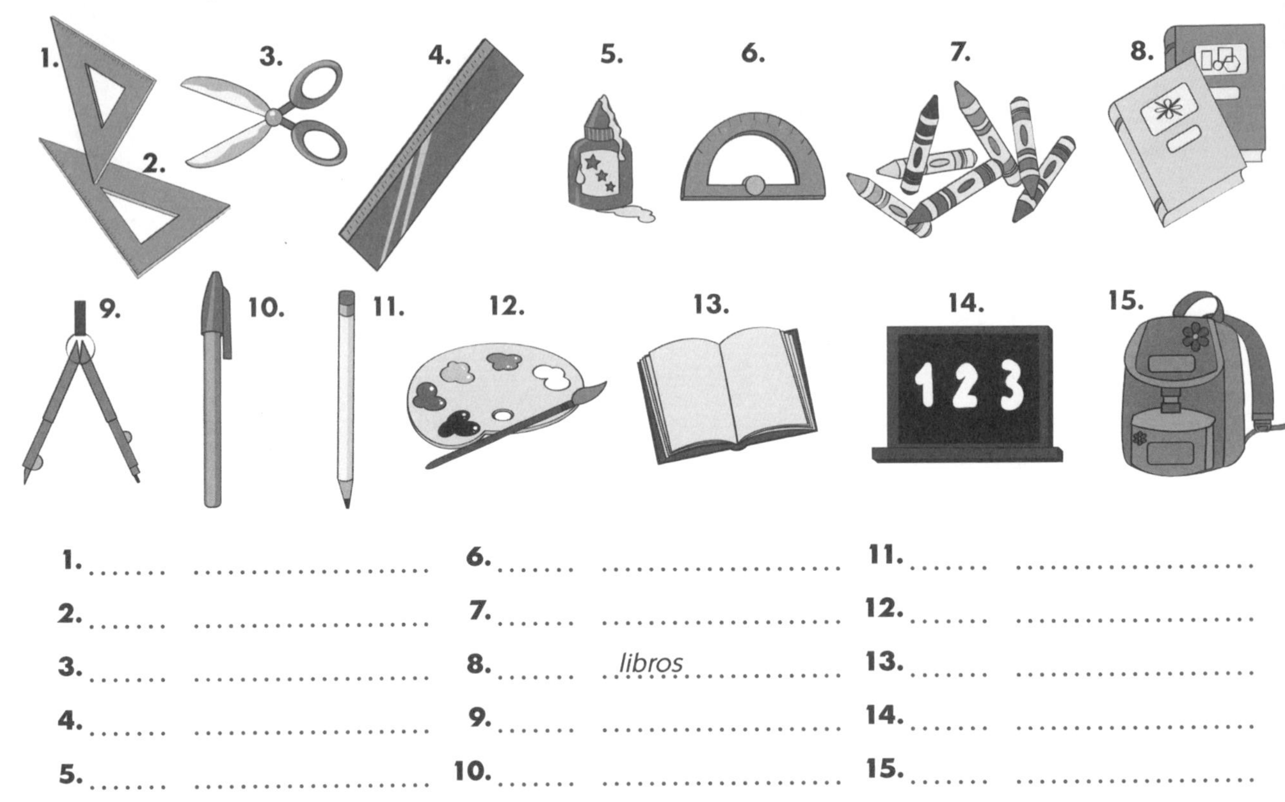

1.	6.	11. ....
2.	7.	12. ....
3.	8. .... *libros*	13. ....
4.	9.	14. ....
5.	10.	15. ....

>| 10 | Escribe el artículo determinado correspondiente de los objetos que has anotado en la actividad anterior.

>| 11 | Observa las fotografías y relaciónalas con la emoción correspondiente.

1. alegría
2. tristeza
3. amor
4. esperanza
5. miedo
6. tranquilidad
7. estrés
8. amistad

A 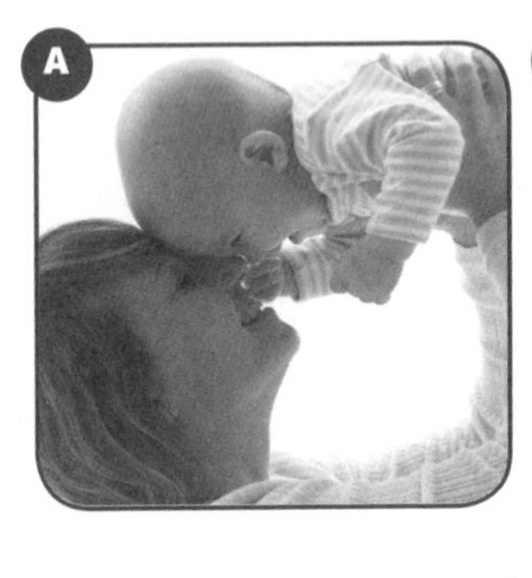

B 

C 

D 

E 

F 

G 

H 

>|12| Describe estas profesiones. ¿Dónde trabajan habitualmente? Sigue el modelo. Puedes usar el diccionario.

1. Profesor/a ➔ *Persona que enseña a otras materias diferentes: matemáticas, idiomas, lengua... Trabaja en una escuela, colegio o instituto.*
2. Médico/a ➔ ....
3. Enfermero/a ➔ ....
4. Jardinero/a ➔ ....
5. Arquitecto/a ➔ ....
6. Dependiente/a ➔ ....

>|13| Elige la opción correcta.

1. *¿**<u>Cómo</u>**/ **Qué**/ **Cuál** te llamas?*
2. ¿**Dónde**/**A qué**/**Cuál** te dedicas?
3. ¿**Cuántos**/**Dónde**/**Qué** años tenéis?
4. ¿**Qué**/**Cuál**/**Dónde** vive Luis?
5. ¿**Qué**/**De dónde**/**Cuál** lenguas habla usted?
6. ¿**De dónde**/**Dónde**/**Cuándo** son ellos?

>|14| Lee y formula diez preguntas a partir del texto.

Me llamo Susana y soy de México. Vivo con mi hija Mariana en Canarias, en la isla de Tenerife. Yo soy profesora de costura en una escuela de moda y mi hija trabaja como repostera en un restaurante, se dedica a hacer pasteles. Tengo sesenta años, una casa al lado de la playa y una gata. Mariana tiene muchos amigos y un novio catalán. Nosotras hablamos castellano.

1. *¿Cómo se llama?*
2. ....
3. ....
4. ....
5. ....
6. ....
7. ....
8. ....
9. ....
10. ....

>|15| Relaciona las palabras con las imágenes. Fíjate en que la pronunciación entre algunas es muy similar pero el significado es totalmente diferente.

A. ☐ B. ☐ C. ☐ D. ☐ E. ☐ F. ☐ G. ☐

H. ☐ I. ☐ J. ☐ K. ☐ L. ☐ M. ☐ N. ☐

Z

1. pera
2. zueco
3. corro
4. caza
5. casa
6. perra
7. carro
8. coro
9. sueco
10. coser
11. zeta
12. cocer
13. seta
14. cala

>16 Di si son verdaderas (V) o falsas (F) estas afirmaciones y corrige las falsas.

Ejemplo. *Los gallegos hablan vasco.* ..F.. ..*Los gallegos hablan gallego.*............

1. Cataluña está en el oeste de España. ....
2. En Madrid se habla vasco. ....
3. En España hay cinco lenguas oficiales. ....
4. En el País Vasco se habla euskera. ....
5. Sevilla está en el norte de España. ....
6. El gallego y el catalán se hablan en las Islas Baleares. ....

ACTIVIDADES POR DESTREZAS

PRUEBA DE COMPRENSIÓN DE LECTURA

>17 Lee esta postal y elige la respuesta correcta (A, B, C o D).

Hola, Bill:

He empezado mi curso de inglés, ¡por fin! Somos cinco alumnos en total y el profesor Mark, que es de California. Hay dos chicas, Susana y Patricia. Susana tiene 18 años y es dependienta de una tienda de ropa. Patricia tiene 25 años, es enfermera y trabaja en un hospital. Los chicos son Jordi, que tiene 38 años y es policía, Pepe que es abogado y yo, arquitecto de 31 años, que no hablo mucho inglés y necesito mejorar mi nivel. Somos un grupo de estudiantes divertidos.

Mi próxima carta te la escribo en inglés.

Un abrazo.

Ramón

0 Ramón escribe una carta sobre...
- ○ a. sus vacaciones.
- ○ b. sus amigos.
- ✓ c. sus compañeros de inglés.
- ○ d. su curso en California.

1 Sus compañeros son...
- ○ a. tres chicas y dos chicos.
- ○ b. tres chicas y tres chicos.
- ○ c. dos chicos y dos chicas.
- ○ d. seis alumnos en total.

2 Susana...
- ○ a. trabaja en una tienda.
- ○ b. tiene 25 años.
- ○ c. es de Madrid.
- ○ d. trabaja con Jordi.

3 El profesor...
- ○ a. vive en California.
- ○ b. es abogado.
- ○ c. habla italiano.
- ○ d. se llama Mark.

4 Ramón...
- ○ a. habla muy bien inglés.
- ○ b. tiene 31 años.
- ○ c. es amigo de Patricia.
- ○ d. es abogado.

5 Creo que necesita...
- ○ a. hablar en inglés.
- ○ b. escribir en inglés.
- ○ c. mejorar su inglés.
- ○ d. comprender el inglés.

PRUEBA DE COMPRENSIÓN AUDITIVA

>|18| 🔊 |6| Escucha dos veces estos mensajes. Relaciona los mensajes con las imágenes. Hay tres imágenes de más.

0 Mensaje 0 I	**2** Mensaje 2 .... ☐	**4** Mensaje 4 .... ☐
1 Mensaje 1 .... ☐	**3** Mensaje 3 .... ☐	**5** Mensaje 5 .... ☐

PRUEBA DE EXPRESIÓN E INTERACCIÓN ESCRITAS

>|19| Escribe un anuncio en la revista de contactos *Busco* para encontrar un amigo para salir. Tienes que enviarlo por correo electrónico y especificar el asunto. Además, la carta debe contener:

- un saludo;
- tus datos personales;
- tu profesión y lugar de trabajo;
- lenguas que hablas;
- aficiones y preferencias;
- despedida.

Número de palabras: entre 20 y 30.

PRUEBA DE EXPRESIÓN E INTERACCIÓN ORALES

>|20| Observa las imágenes sobre diferentes profesiones (ver anexo de imágenes, página 122) y responde a las preguntas del profesor.

3 EL DÍA A DÍA

>| **1** | Observa las fotos, ¿qué hacen? Escribe el infinitivo que corresponde a estas acciones.

1.
2.
3.
4.
5.
6.

>| **2** | Clasifica los verbos anteriores en su lugar correspondiente y completa. Luego, escribe dos ejemplos más en cada conjugación.

Primera conjugación Verbos en –	Segunda conjugación Verbos en –	Tercera conjugación Verbos en – ......
....	....	....
....	....	....
....	....	....
....	....	....

>| **3** | Elige un verbo de cada conjugación y escribe sus formas.

	....	....	....
Yo	....	....	....
Tú	....	....	....
Él/ella/usted	....	....	....
Nosotros/as	....	....	....
Vosotros/as	....	....	....
Ellos/ellas/ustedes	....	....	....

4 | Relaciona los pronombres con los verbos.

1. me .... *	* a. duchan
2. te .... *	* b. acostamos
3. se .... *	* c. llamáis
4. nos .... *	* d. levanto
5. os .... *	* e. lavas
6. se .... *	* f. baña

5 | Completa.

Los verbos reflexivos se construyen siempre con un **(1)**........................ y la acción del verbo afecta al **(2)**........................ . Algunos ejemplos de verbos reflexivos son: **(3)**............., **(4)**............., **(5)**...............…

6 | Completa con la forma correcta del verbo entre paréntesis.

1. Por las mañanas **(levantarse, yo)**.............. temprano, a las siete de la mañana.
2. ¿A qué hora **(ducharse, tú)**..............?
3. ¿Cómo **(llamarse)**.............. tus hermanos?
4. Los domingos por la mañana, Laura **(bañarse)**.............. en el mar.
5. ¿A qué hora **(acostarse)**.............. vosotros?

7 | Escribe una frase con las formas verbales de la actividad 4.

1. ....
2. ....
3. ....
4. ....
5. ....
6. ....

8 | Escucha y marca verdadero o falso. Luego, rectifica la información falsa.

|7|

	V	F
1. Marta Jiménez estudia en la universidad de Valencia.	○	○
2. Por la mañana, antes de desayunar, corre por la playa.	○	○
3. Pasa la mañana y parte de la tarde en la universidad.	○	○
4. Los fines de semana trabaja de camarera en un centro comercial.	○	○
5. Después de la universidad, regresa[1] a casa y estudia.	○	○

[1] *Regresar* significa *volver, retornar*.

> 9 Escucha otra vez y completa.

|7|

Hola, (1) me llamo Marta, Marta Jiménez. (2) vivo en Valencia y (3) estudio Administración de Empresas en la universidad.

Todas las mañanas (4) desayuno cereales, fruta y café y, después, (5) corro por la playa durante media hora. (6) llego a casa, (7) me gucho, (8) me rerragjo y (9) monto en mi bici para llegar a la universidad.

A las dos, más o menos, (10) comemos en la cafetería de la facultad. Luego, antes de volver a clase, mis compañeros y yo (11) tomamos un café.

Por la tarde, (12) estudio en la biblioteca, (13) regresso a casa y ceno.

Los fines de semana (14) trabajo como dependienta en un centro comercial.

> 10 Lee los datos y escribe un texto similar al de la actividad 9.

Nombre	David Sánchez	*Edad*	43 años.
Actividad	Profesor de español.	*Lugar de trabajo*	Escuela de español en Salamanca.
Desayuno	Café con leche y croissant.	*Comida*	Bar cerca de la escuela.
Actividades	Preparar clases, correr después del trabajo, leer antes de dormir.		
Fines de semana	Limpiar la casa, nadar en la piscina, tomar copas con amigos por la noche.		

Holy, me llamo David Sanchez. Yo tengo 43 años.
Yo vivo en Salamanca y trabajo de professor de
español. Antes de la trabajo, por la manana,
desayuno cafe con leche y croissant, despues
preparar las classes. Después del trabajo, yo como
en un bar de la escuela, regress a mi casa
a leo antes de dormir.
Los fines de semana, nado en la piscina, tomo copas
con amigos por la noche.

> 11 Completa con las personas gramaticales. Hay cinco intrusos.

* -o * -o * -áis * -aron * -é * -ís * -on * -an * -emos * -an * -es
* -amos * -as * -amos * -en * -aste * -as * -a * -a * -éis * -o * -e * -áis

TENER	
teng o	ten emos
tien es	ten eis
tien e	tien en

HABLAR	
habl o	habl amos
habl as	habl ais
habl a	habl an

TRABAJAR	
trabaj o	trabaj amos
trabaj as	trabaj ais
trabaj a	trabaj an

12 Ordena las frases y conjuga el verbo.

1. años/tener/veintidós/compañero/Mi/de/clase
2. jardín/muy/estar/El/verde
3. amapolas/Las/rojas/ser
4. luna/el/ser/sol/ser/y/La/blanca/amarillo

13 Indica el significado del verbo *tener* en las siguientes frases: posesión (P), sensaciones o sentimientos (S) y edad (E).

1. *María tiene frío.* ..S..
2. Ya es mayor de edad, tiene 18 años. ......
3. Tienes estrés, debes descansar. ......
4. Dame un vaso agua, tengo sed. ......
5. Tienes una hija preciosa. ......
6. Tenéis una casa muy bonita. ......
7. Mi padre tiene ochenta años. ......
8. No tengo coche, es mejor ir en bici. ......

14 ¿Qué tienen? Observa y completa como en el ejemplo.

1. *Tiene sed.*
2.
3.
4.

15 Relaciona un elemento de cada columna.

1.	Ciento uno menos uno.	a.	3
2.	Veintidós más treinta y uno.	b.	100
3.	Ochenta y ocho entre ocho.	c.	110
4.	Seis más seis.	d.	12
5.	Dieciocho por cinco.	e.	53
6.	Cuarenta y dos menos doce.	f.	11
7.	Once más once.	g.	90
8.	Setenta menos diez.	h.	60
9.	Quince entre cinco.	i.	22
10.	Diez por once.	j.	30

16 Escribe la cifra que corresponde a los números de la primera columna, y el número en letra de las cifras de la segunda columna.

Ochenta y nueve → .... 43 → ....
Diecisiete → .... 14 → ....
Treinta y nueve → .... 15 → ....

ACTIVIDADES POR DESTREZAS

PRUEBA DE COMPRENSIÓN DE LECTURA

17 Lee estos anuncios y relaciónalos con los textos. Hay cuatro anuncios de más.

A ¿Cansado de cocinar en casa? ¡Tranquilo! **Telecocina** le lleva la comida a casa a diario a un precio de crisis.

Llámenos: 932 487 234.

B Si tiene frío porque la calefacción de su casa no funciona, le ofrecemos nuestro servicio urgente de reparaciones. En un día y a un precio muy económico. Consulte nuestra web: **calorurgente.com**

C Desayuna sano, come bien.
En **Vitaminas para todos** puedes encontrar zumos de frutas y desayunos macrobióticos desde 2 euros.
Gran Vía, 32, de 7 a 12 de la mañana.

D Piscina **El Pez**. Nuevos cursos de natación para principiantes.

Matricúlate de 9 a 14 y de 15 a 21 horas.

Plazas limitadas.

E Por 8,99 al mes, lee literatura contemporánea y clásica.
Ebookparatodos.es te ofrece miles de libros de literatura que puedes descargar al momento de manera cómoda y económica.

F ¿Necesita un coche pero no tiene dinero? No importa.
En **Ciscarsa** le ofrecemos coches de segunda mano, garantizados y con financiación gratuita.

Llámenos: 457 926 341

G ¿Escribes bien? ¿Crees que tienes talento? Visita nuestra web y apúntate a nuestro curso *online*: Taller de Escritura Creativa. Gratuito.

Quieroescribir.com

H **Abono Transporte Mensual**
Disponible a partir del día 27 de cada mes en todas las estaciones de metro.
Viaja en metro, autobús y tren sin límite. Muévete por la ciudad sin coche. Por ti, por todos.

I Si deseas estudiar en una universidad de prestigio, con un campus universitario con todos los servicios, esta es tu universidad: **Universidad de Torredón**, de todos, para todos.
Abierto el plazo de matrícula.

J Tu vivienda por menos de lo que crees.

Inmobiliaria Mi hogar
Encontramos la casa que deseas. Visítanos sin compromiso.

Avenida del Álamo, 37.

1. Vivo en una casa muy pequeña. .... ☐
2. Marta es vegetariana y come muy sano. .... ☐
3. Alberto y yo terminamos el instituto este año. .... ☐
4. Todos los días me desplazo por la ciudad para ir al trabajo. .... ☐
5. No cocino, no tengo tiempo. .... ☐
6. Los niños no saben nadar. Necesitan clases. .... ☐

PRUEBA DE COMPRENSIÓN AUDITIVA

>|18| Escucha a Juan, que cuenta qué hacen él y su mujer, Lola, durante los fines de semana. El audio se repite tres veces. Luego, completa el texto.

|8|

Los fines de semana, Juan y Lola van en **(1)**...................... hasta su casa en el **(2)**...................... Compran **(3)**...................... en el pueblo y pasean por el **(4)**...................... El sábado por la noche cenan con unos **(5)**...................... El **(6)**...................... por la mañana hacen deporte y, después de comer, regresan a la **(7)**...................... porque el lunes tienen que trabajar.

PRUEBA DE EXPRESIÓN E INTERACCIÓN ESCRITAS

>|19| Inscríbete en una página web de ocio. Completa el formulario.

¿NECESITAS UN PLAN PARA ESTE FIN DE SEMANA? **TODOOCIOPUNTO.COM**
TE DA LA SOLUCIÓN. REGÍSTRATE Y COMPLETA EL FORMULARIO.

REGISTRARSE

Nombre: ....
Apellido(s): ....
Nacionalidad: .... Documento de identidad n.º: ....
Lugar y fecha de nacimiento: ....
Correo electrónico: .... Teléfono de contacto: ....

¿A qué te dedicas?

¿Qué haces los sábados por la mañana?

¿Y los domingos?

¿Tienes amigos? Da algunos datos sobre ellos.

PRUEBA DE EXPRESIÓN E INTERACCIÓN ORALES

>|20| Habla sobre tu rutina diaria durante la semana y los fines de semana.

4 ¡BIENVENIDOS A CASA!

>| 1 | Escucha la audición y señala de qué ciudades hablan.
|9|

>| 2 | Clasifica estos sustantivos.

* cine * hotel * librería * dormitorio * cocina * terraza * zapatería
* cuarto de baño * banco * frigorífico * habitación * plancha * mesilla * farmacia
* lavadora * cama * salón * sofá * espejo * teatro * estudio

CALLE/BARRIO		CASA		OBJETO/MUEBLE	
CINE	BANCO	DORMITORIA	SALON	FRIGORIFICO	CAMA
HOTEL	FARMACIO	COCINA	ESTUDIO	PLANCHA	SOFA
LIBRERI	TEATRO	TERRAZA		MESILLA	ESPEJO
ZAPATERIA		CUATRO DE BANCO		LAVADORA	
		HABITACION			

>| 3 | Completa este correo electrónico con *hay* y *está/n*.

ENVIAR | DE: bea@spmail.com | PARA: pancho@prmail.com | ASUNTO: ¡En Barcelona hay de todo!

Hola, Pancho:

¿Cómo estás?

Ya sabes que ahora vivo en Barcelona. Es una ciudad que **(1)**....... en el noreste de España. Aquí **(2)**....... el Museo Nacional de Arte de Catalunya donde **(3)**.............. muchas y muy interesantes exposiciones. También **(4)**.............. obras del genial arquitecto Antoni Gaudí: La Sagrada Familia, el Parque Güell y La Pedrera. Estos monumentos **(5)**.............. en diferentes zonas, pero **(6)**........ muy buena comunicación y las estaciones de metro **(7)**.............. por toda la ciudad. No muy lejos **(8)**.......... el Teatro-Museo Dalí, en Figueres. En el museo **(9)**.............. cuadros, esculturas, dibujos y pertenencias del pintor, te lo recomiendo porque es muy interesante.

Por cierto, en Barcelona ciudad no **(10)**................ montañas nevadas pero la gente viaja a los Pirineos y allí **(11)**................ grandes pistas de esquí. No **(12)**............... lejos y cuando vengas a visitarme podemos ir hasta allí.

Muchos besos, Bea.

>| 4 | Señala las palabras incorrectas y cámbialas.

En mi casa hay tres *habitación*, un cocina, dos baños, un salón comedor y el balcón. La cocina hay al lado del balcón. Un baño es mucho grande y el otro pequeño. En el salón y el balcón hay las plantas. Enfrente de el balcón hay el mar y a el lado, el balcón de mi vecino.

Habitaciones, ...

>| 5 | Observa la habitación. Completa las frases con los marcadores espaciales del recuadro correspondientes.

* ~~enfrente de~~ * ~~al lado de~~ * ~~entre... y...~~ * ~~a la izquierda de~~
* ~~a la derecha de~~ * ~~encima de~~ * ~~debajo de~~ * ~~detrás de~~

1. La cama está ..entre.... el armario .y. el escritorio.
2. La alfombra está ...debajo de............ la cama.
3. Las cajas (Box) están ..encima de......... el armario.
4. La ventana está ....detras de.............. la planta.
5. El armario está ..a la izquierda de.. la habitación.
6. Las zapatillas están ..a la derecha de.... la cama.
7. La silla está ...enfrente de.......... del escritorio.
8. La lámpara está ...al lado de....... el armario.

>| 6 | Completa con *muy, mucho/mucha/muchos/muchas* y *poco/poca/pocos/pocas.*

Quiero comprarme una casa en este barrio.

La casa es **(1)**..muy..... bonita pero hay **(2)**...mucho.. ruido en este barrio, ¿verdad? Además, en la ciudad hay **(3)**....mucha. contaminación, **(4)**...muchos. coches y **(5)**..muchas.... fábricas, ¿no crees? ¡Ah! y creo que hay **(6)**...pocos.. parques y **(7)**....pocas.. zonas verdes, además de muy **(8)**.....la...... tranquilidad. La calle está **(9)**....muy.... mal comunicada porque hay muy **(10)**...pocos... autobuses. Y me parece que la zona es **(11)**.....muy... peligrosa y **(12)**.....muy... oscura... En fin, ¿sabes qué? ¡Creo que voy a cambiar de barrio!

>| 7 | Encuentra las palabras en esta sopa de letras.

1. Local donde se guardan los automóviles. ....
2. Espacio de la casa donde nos lavamos las manos. ....
3. Conjunto de dos vocales diferentes que se pronuncian en la misma sílaba. ....
4. Lugar cerrado construido para ser habitado por personas. Empieza por **v**. ....
5. Preposición contraria a *debajo*. ....
6. Electrodoméstico que sirve para lavar la ropa. ....

L	I	V	T	J	L	A	B	S	I
M	A	I	F	U	D	R	E	A	O
E	N	V	I	L	I	T	A	S	L
T	C	I	A	E	P	X	N	G	A
M	F	E	R	D	T	I	D	A	S
O	A	N	T	R	O	G	I	R	E
B	E	D	U	I	N	R	F	A	R
T	R	A	B	E	G	L	A	J	O
L	A	V	A	B	O	R	I	E	S
I	T	O	E	N	C	I	M	A	R

>| 8 | Lee esta información sobre alojamientos para vacaciones y rellena los formularios que están debajo.

1. Apartamento en Nueva York. Superficie de 60 metros cuadrados, situado en el corazón de la ciudad, dos dormitorios, un baño y cocina americana. Hay frigorífico, lavadora y secadora.

Tipo de vivienda: *apartamento.* ....

Habitaciones: ....

Metros cuadrados: ....

Localización: ....

Electrodomésticos: ....

2. Casa rural en España. Cuatrocientos metros cuadrados. Paraíso del Valle de Jerte a las afueras del pueblo. Cuenta con cuatro dormitorios dobles, sala de estar, tres baños y cocina, jardín exterior y aparcamiento. En el interior hay lavadora, televisión y lavavajillas.

Tipo de vivienda: ....

Habitaciones: ....

Metros cuadrados: ....

Localización: *Valle del Jerte.* ....

Electrodomésticos: ....

>| 9 | Relaciona preguntas y respuestas en este diálogo.

1. Marta, ¿cómo es tu casa? Cuéntame. .... *
2. ¿Cuántas habitaciones tiene? .... *
3. ¿Hay comedor? .... *
4. ¿Hay terraza? .... *
5. ¿Y el baño? .... *
6. Y tu barrio, ¿cómo es? .... *
7. ¿Activo? .... *
8. ¿Tomamos un café en tu barrio? .... *

* a. Sí, encima del piso hay una terraza comunitaria.
* b. Sí, porque siempre hay movimiento. Hay tiendas, restaurantes de moda, locales para tomar una copa, no hay cine ni teatro, pero hay una catedral románica y varios museos.
* c. El lavabo está separado de la ducha.
* d. Es bullicioso, alegre y activo.
* e. ¡Claro que sí!
* f. Tiene una habitación con puerta y otra que es un *loft* en el piso de arriba.
* g. Sí, junto al salón.
* h. Mi casa es fantástica.

>| 10 | Observa las fotografías de esta casa y responde a las preguntas.

a. ¿Hay espejo en el cuarto de baño? ¿Dónde está?

....

b. ¿Dónde está el inodoro?

....

c. ¿Hay más cosas en el cuarto de baño?

....

2.

a. ¿Qué hay en el dormitorio?

....

....

b. ¿Dónde están las mesillas de noche?

....

3.

a. ¿Qué hay en este salón?

....

....

b. ¿Dónde están las lámparas?

....

c. ¿Cuántas personas se pueden sentar?

....

4.

a. ¿Qué hay en esta cocina?

....

b. ¿Dónde está el horno? ¿Y el fregadero?

....

....

>| **11** | Subraya los diptongos de estas palabras, si los hay.

1. ens*ai*mada	**5.** flauta	**9.** Ceuta	**13.** pillar	**17.** piano
2. ensalada	**6.** fruta	**10.** celda	**14.** cuatro	**18.** plano
3. caucásico	**7.** veinte	**11.** insinuar	**15.** pato	**19.** llano
4. pauta	**8.** diente	**12.** piar	**16.** nuevo	**20.** cielo

ACTIVIDADES POR DESTREZAS

PRUEBA DE COMPRENSIÓN DE LECTURA

>| **12** | Lee los textos de la página siguiente con anuncios de casas. Relaciona cada anuncio con el número correspondiente. Hay tres anuncios de más.

0 Mi marido y yo buscamos una casita cerca de una estación de esquí. .... B

1 Mi hijo es alérgico y necesita unas vacaciones en la playa en verano. .... ☐

2 Necesito un apartamento pequeño en la capital durante un año, imprescindible calefacción. .... ☐

3 Soy estudiante y busco un piso para compartir, máximo 250 euros al mes. .... ☐

4 Pareja. Queremos comprar una casa en una zona tranquila, fuera de la ciudad. .... ☐

5 Tenemos 4 hijos, buscamos un piso grande cerca del colegio de los niños. .... ☐

6 Somos un grupo de amigos, buscamos casa rural en la montaña. .... ☐

A **MADRID**

Se alquila precioso apartamento en el corazón de la ciudad. 1 habitación, baño completo, calefacción central. 750 €/mes.

B **SALAMANCA** (SIERRA DE BÉJAR)

Casa muy cerca de la estación de esquí La Covatilla, 53 metros cuadrados, dos habitaciones, baño y cocina completos. Muy bien situada, en el centro de Béjar. 300 €/fin de semana.

C **GRANADA**

Se alquila piso para compartir, cerca de la Universidad. Muy soleado, 4 habitaciones, salón-comedor, dos baños, calefacción y aire acondicionado. 350 □/habitación doble y 250 €/individual.

D **SITGES** (BARCELONA)

Bonito piso a cinco minutos de la playa, amplio salón, dos baños, 3 dormitorios, cocina y terraza comunitaria. Todo exterior. Alquilo por semanas durante los meses de verano.

E **TOLEDO**

Se vende chalé de nueva construcción en urbanización "La Calma", a 20 minutos de Toledo en zona residencial. 3 baños completos, cocina amplia, salón con chimenea, jardín, piscina comunitaria, pistas de tenis y un campo de golf en las proximidades. 240 000 €.

F **CÁDIZ**

Se vende apartamento en Cádiz, en primera línea de playa, ideal para una pareja joven. 1 dormitorio, salón-comedor, cocina americana y balcón exterior. Zona de diversión, con bares y restaurantes. 100 000 €.

G **NAVARRA**

Preciosa casa rural abierta todo el año. 12 plazas. 4 habitaciones dobles y 4 sencillas, calefacción, chimenea y vistas a la montaña. Perfecta para grupos. Rutas para senderistas. Precio según temporada.

H **MURCIA**

Se alquila piso amplio, 5 habitaciones, salón, sala de estar, dos baños y un aseo, cocina exterior, cuarto de plancha. Totalmente amueblado. Zona céntrica, muy bien comunicado, a cinco minutos de colegios y centro comercial. 950 €/mes.

I **MADRID**

Se alquila apartamento muy bien comunicado a las afueras de la capital. Zona nueva. 1 dormitorio, cocina americana, baño completo y balcón. 400 €/mes.

J **SANTANDER**

Se alquila piso durante todo el año en primera línea de playa. Exterior, dos habitaciones, cocina, baño y aseo. Calefacción y aire acondicionado. Ascensor, garaje y amplia terraza comunitaria. 750 €/mes.

PRUEBA DE COMPRENSIÓN AUDITIVA

13 Lelia habla sobre su nuevo piso. La audición se repite dos veces. Marca la opción correcta (A, B o C).
| 10 |

0 La casa de Lelia da a...
- ○ **a.** una calle.
- ✓ **b.** una plaza.
- ○ **c.** una pared.

1 En el salón hay...
- ○ **a.** un espejo pequeño.
- ○ **b.** una mesa.
- ○ **c.** flores.

2 La cocina es...
- ○ **a.** grande.
- ○ **b.** mediana.
- ○ **c.** pequeña.

3 En la cocina hay...
- ○ **a.** lavadora.
- ○ **b.** lavadora, secadora, frigorífico...
- ○ **c.** una ventana.

4 En el piso de Lelia hay...
- ○ **a.** un aseo.
- ○ **b.** dos baños.
- ○ **c.** un aseo con ducha.

5 Su dormitorio...
- ○ **a.** tiene mucha luz.
- ○ **b.** es bonito.
- ○ **c.** no tiene ventana.

PRUEBA DE EXPRESIÓN E INTERACCIÓN ESCRITAS

14 Quieres vender una casa amueblada. Escribe un anuncio con esta información:

- cómo es el piso y qué tiene;
- dónde está;
- cómo es el barrio donde está.

Número de palabras: entre 20 y 30.

....

....

....

....

PRUEBA DE EXPRESIÓN E INTERACCIÓN ORALES

15 Elige el tipo de vivienda que prefieres para vivir de estas dos (ver anexo de imágenes, pág. 122) y di por qué. Debes hablar durante 2 o 3 minutos.

5 ¡QUÉ GUAPO!

1 | David le cuenta a Rosa cómo es su nueva "amiga" especial. Escucha la conversación y responde a las preguntas.

¿Cómo se llama la nueva amiga de David? Se llama Cris.

1. ¿Es pelirroja? ....
2. ¿Es delgada o gordita? ....
3. ¿Cómo lleva el pelo? ....
4. ¿Cómo es su carácter? ....
5. ¿Cuántos años tiene? ....
6. ¿A qué se dedica? ....
7. ¿Está casada? ....
8. ¿Quién es Chema? ....
9. ¿Cuántos años tiene Chema? ....

2 | Completa las frases siguientes con *ser*, *llevar* o *tener*.

El chico que está enfrente de mí, en el tren, **(1)**.......... gafas oscuras, **(2)**.......... el pelo corto y **(3)**.......... moreno y delgado. **(4)**.......... un jersey rojo y blanco, **(5)**.......... también un pantalón gris. **(6)**.......... zapatillas de deporte y calcetines grises.

El matrimonio que está a mi izquierda **(7)**.......... extranjero. La señora **(8)**.......... el pelo largo y rizado y **(9)**.......... rubia y bajita. Su marido **(10)**.......... el pelo blanco y los ojos claros. Los dos **(11)**.......... pantalones cortos. La señora **(12)**.......... un bolso azul y el señor **(13)**.......... una gorra para el sol.

3 | ¿QUÉ SE LLEVA ESTA TEMPORADA?

Esta es la portada de la revista de moda *Chicas con glamour* en la que Margarita Peckan anuncia qué ropa se lleva esta temporada. Imagina que tú eres Margarita, la diseñadora, y conversas en el Twitter con Mónica Persian. Ella va a hacerte preguntas y tú debes orientarla sobre los *its* (prendas estrella) que son más *cool* (modernas) esta temporada.

Ejemplo:

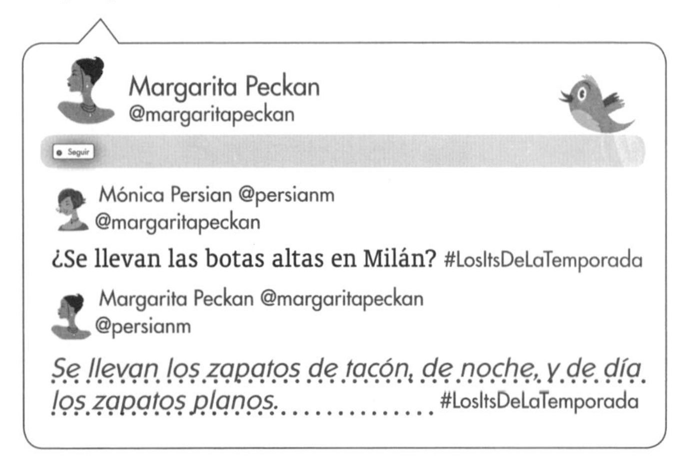

twitter

Margarita Peckan
@margaritapeckan

Seguir

1. Mónica Persian @persianm
@margaritapeckan

¿Y los bolsos? ¿Grandes, pequeños, con cadenas...?#LosItsDeLaTemporada

Margarita Peckan @margaritapeckan
@persianm

.... #LosItsDeLaTemporada

2. Mónica Persian @persianm
@margaritapeckan

Necesito un vestido, ¿cómo se llevan?#LosItsDeLaTemporada

Margarita Peckan @margaritapeckan
@persianm

.... #LosItsDeLaTemporada

3. Mónica Persian @persianm
@margaritapeckan

¿Se llevan las bufandas o los pañuelos? ¿De qué tipo?#LosItsDeLaTemporada

Margarita Peckan @margaritapeckan
@persianm

.... #LosItsDeLaTemporada

4. Mónica Persian @persianm
@margaritapeckan

¿Cómo se llevan los pantalones? ¿Cuáles son los más *cool* hoy?#LosItsDeLaTemporada

Margarita Peckan @margaritapeckan
@persianm

.... #LosItsDeLaTemporada

5. Mónica Persian @persianm
@margaritapeckan

¿Y qué me dices de los sombreros? ¿Están de moda?#LosItsDeLaTemporada

Margarita Peckan @margaritapeckan
@persianm

.... #LosItsDeLaTemporada

6. Mónica Persian @persianm
@margaritapeckan

¡Ah! Por último, ¿qué abrigo me compro?#LosItsDeLaTemporada

Margarita Peckan @margaritapeckan
@persianm

.... #LosItsDeLaTemporada

>| 4 | ¡VAYA FAMILIA QUE TENGO!

Bart Simpson presenta a su familia. Lee y completa con el vocabulario que conoces.

"Hola a todos, me llamo Bart y soy el **(1)**..hijo....... de Homer, el señor que come un donut en la fotografía. Homer es controlador de seguridad en una central nuclear pero es muy vago. Le gusta ver la televisión, comer donuts y beber cerveza. Es muy goloso y está gordo. Está casado con Marge, mi **(2)**..madre.....; ella es ama de casa y es muy paciente con todos. Tienen dos **(3)**.............. más: Lisa y Maggie. Lisa es mi **(4)**.............., la inteligente de la familia; siempre está tocando el saxofón en casa, es un poco pesada... Maggie es mi **(5)**.............. pequeña y no es muy habladora, siempre lleva un chupete en la boca y no se separa de él. Mi madre tiene dos hermanas, son mis **(6)**.............. y están solteras porque son un poco raras. También tengo un **(7)**.............., el padre de mi padre. Está separado y jubilado, vive en una residencia de ancianos y es muy, muy despistado, no se acuerda de nada.

Y, finalmente, yo soy el más guapo y el más simpático y divertido de la casa. ¡Ah! Yo no estoy casado pero tengo muchas novias, je, je... ¡Soy el mejor!".

>| 5 | Clasifica los adjetivos referidos a la descripción de personas del texto anterior en su lugar correspondiente.

DESCRIPCIÓN FÍSICA	*DESCRIPCIÓN DEL CARÁCTER*

>| 6 | Ahora clasifica los adjetivos de la actividad anterior en positivos y negativos.

ADJETIVOS POSITIVOS	*ADJETIVOS NEGATIVOS*

>| 7 | Describe qué ropa y complementos lleva Marge y cómo es físicamente.

....

....

....

....

....

....

....

>| 8 | Escucha diferentes palabras con los sonidos /g/, /x/ y /k/. Escribe la palabra que corresponde a cada fotografía.

| 12 |

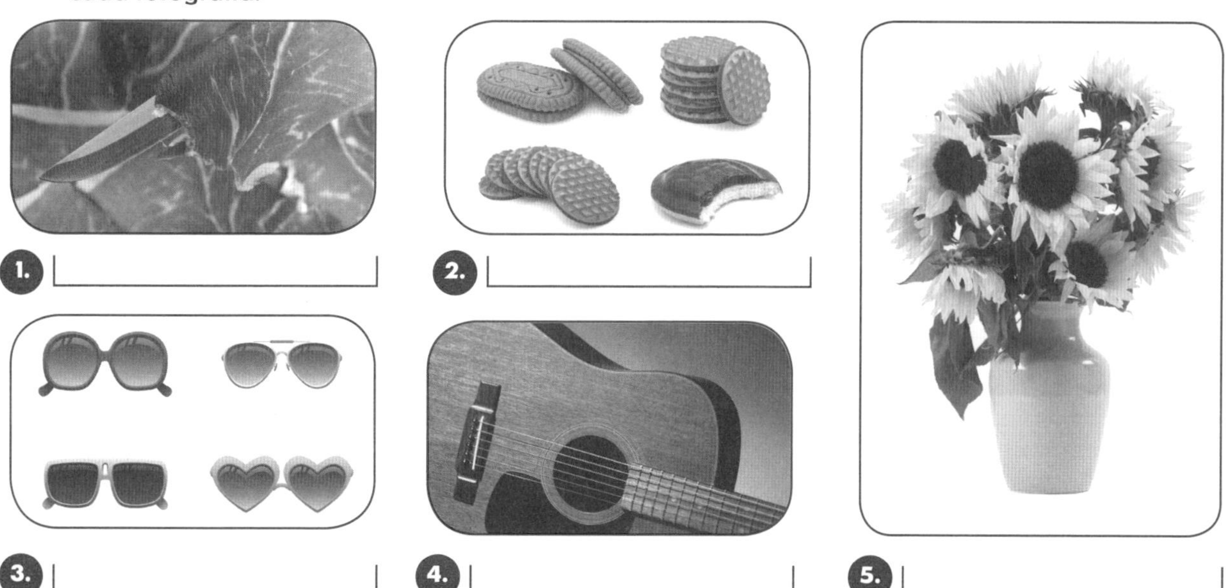

1.

2.

3.

4.

5.

>| 9 | Señala los intrusos de estas series de palabras (tres por serie).

Ejemplo: *Mi, tu, su, nuestro, es, vuestro, tú, sus, yo, mis.* .... *Es, tú, yo*

1. Abuela, madre, cuñado, compañero, hijo, nieta, vecino, hermano, sobrino, nieto, amigo.

....

2. Alto, morena, delgado, gafas, rubio, bajito, castaño, serio, gordo, alegre.

....

3. Simpático, vago, barbudo, tacaño, torpe, alegre, pelirrojo, hablador, canoso, trabajador.

....

>| 10 | Relaciona las siguientes características físicas y de carácter con su contrario.

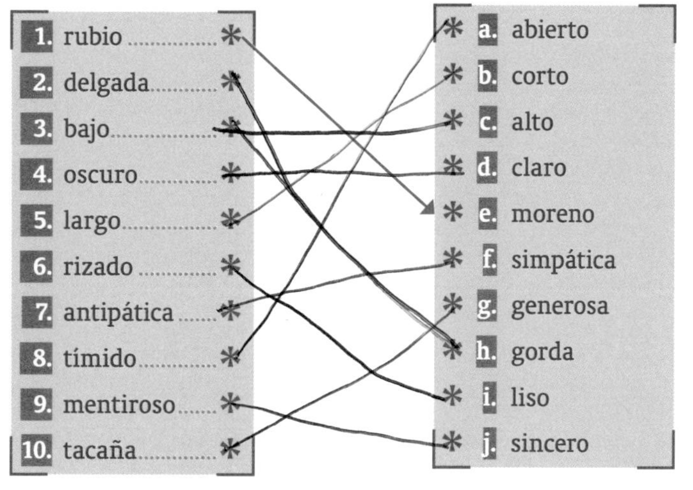

>| 11 | Describe físicamente a esta persona. ¿Qué carácter crees que tiene?

....

....

....

12 Observa a las personas de las fotografías y describe cómo son, qué ropa llevan y qué relación crees que hay entre ellas.

1.

2.

....

....

ACTIVIDADES POR DESTREZAS

PRUEBA DE COMPRENSIÓN DE LECTURA

13 Lee la presentación que hace Javier de su familia. Selecciona la opción correcta (A, B, C o D).

Hola soy Javier, tengo 52 años y trabajo en una oficina técnica, soy delineante. Mi padre se llama Melchor y es pintor, mi madre es Teresa. Son muy simpáticos y cariñosos. Tengo tres hermanos: Pedro, el mayor, que es médico, está casado pero no tiene hijos; Tomás, el mediano, que es artista, tiene un nieto, Álex; y Maite, que es mi hermana pequeña. Maite tiene dos hijos, Santi y Mario, son mis sobrinos. Yo estoy casado con Ángeles, no tenemos hijos, pero somos muy felices.

0 Javier es…
- ○ a. médico.
- ✓ b. delineante.
- ○ c. técnico.
- ○ d. artista.

1 Javier tiene…
- ○ a. dos hermanas y un hermano.
- ○ b. tres hermanas.
- ○ c. una hermana y dos hermanos.
- ○ d. es hijo único.

2 Álex es…
- ○ a. el sobrino de Javier.
- ○ b. el hijo de Pedro.
- ○ c. el nieto de Tomás.
- ○ d. el hermano de Mario.

3 Santi y Mario son…
- ○ a. los hijos de Melchor y Teresa.
- ○ b. los nietos de Tomás.
- ○ c. los primos de Ángeles.
- ○ d. los sobrinos de Javier.

4 Teresa es…
- ○ a. la abuela de Santi y Mario.
- ○ b. la tía de Javier.
- ○ c. la abuela de Álex.
- ○ d. la hija de Maite.

5 Ángeles es…
- ○ a. la hermana de Javier.
- ○ b. la mujer de Javier.
- ○ c. la hija de Javier.
- ○ d. la tía de Javier.

PRUEBA DE COMPRENSIÓN AUDITIVA

>**14** Escucha a Bárbara hablando sobre sus compañeros de trabajo. Cada audición se repite dos veces. Relaciona a cada persona con una letra. Hay tres letras de más.

| 13 |

- **0** Luis .... [A]
- **1** Rino .... [ ]
- **2** Diego .... [ ]
- **3** Kei .... [ ]
- **4** Antón .... [ ]
- **5** Mina .... [ ]
- **6** Joana .... [ ]
- **7** Angie .... [ ]
- **8** Saverio .... [ ]

- **A** Es muy simpático.
- **B** Es rubia.
- **C** Tiene gafas.
- **D** Es camarero.
- **E** Es insociable.
- **F** Es muy sociable.
- **G** Es delgado.
- **H** Es mal estudiante.
- **I** Trabaja en un hotel.
- **J** Es calvo.
- **K** Es de Japón.
- **L** No es perezosa, trabaja mucho.

PRUEBA DE EXPRESIÓN E INTERACCIÓN ESCRITAS

>**15** Estás de vacaciones en casa de una familia española. Escribe una postal a un amigo de tu país. En ella debes:

- saludar;
- describir cómo es la familia;
- decir dónde está la casa;
- despedirte.

Número de palabras: entre 20 y 30.

....

....

....

....

....

PRUEBA DE EXPRESIÓN E INTERACCIÓN ORALES

>**16** Vas a tener una conversación sobre tu familia. La conversación durará 3 minutos aproximadamente y debes hablar de:

TÚ Y TU FAMILIA

- Descripción física de los miembros de tu familia
- Descripción de carácter de los mismos
- Actividades familiares que realizáis conjuntamente
- Relaciones que mantenéis entre vosotros

6 ¿DÓNDE VAMOS?

>| **1** | Lee el vocabulario relacionado con los medios de transporte y la información espacial, clasifícalo y encuentra los intrusos.

*** todo recto * cruce * televisión * caballo * pie * dormitorio * estrés * tranvía * a la izquierda * bici * billete * a la derecha * plano * mapa * un bono de 10 viajes * siga recto * parada * buenos días * metro * tren**

MEDIOS DE TRANSPORTE	INFORMACIÓN ESPACIAL	INTRUSOS
Pie, Tranvía, Caballo, Bici, Tren, Metro	a la izquierda, Cruce, a la derecha, Mapa, Todo recto, Siga recto	Buenos días, Estrés, Billete, Tel, Dormitorio, Parada, Pie

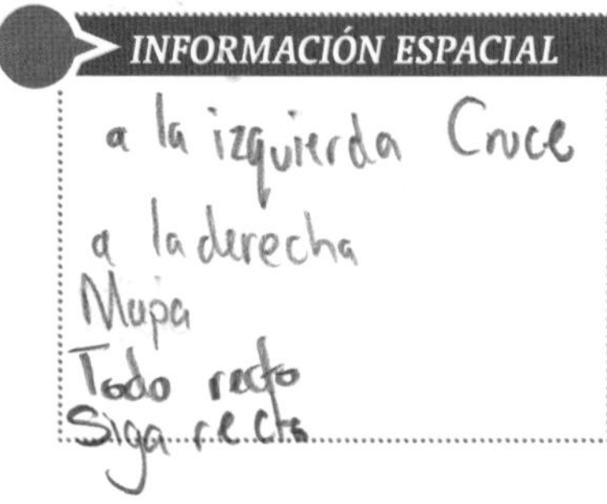

>| **2** | Completa la conjugación de estos verbos en presente de indicativo.

	QUERER	PREFERIR	NECESITAR
Yo	Quiero	Prefiero	
Tú	Quieres	Prefieres	
Él/ella/usted	Quiere	Preferiere	
Nosotros/as		Preferimos	
Vosotros/as			
Ellos/ellas/ustedes		Prefieren	

>| **3** | Relaciona.

1. ¿Por qué vamos en metro? .... *
2. Gire a la derecha y después... G ... *
3. ¿Dónde hay... E ... *
4. El avión es... F ... *
5. Necesito información sobre... K ... *
6. María José prefiere... A ... *
7. ¿Qué necesitamos para... C ... *
8. Usted necesita... H ... *
9. ¿Cómo puedo ir... B ... *
10. ¿Sabes cuánto... I ... *
11. ¡Muchas gracias por su ayuda! J *

* a. pasar las vacaciones en la playa.
* b. al centro?
* c. pasar unas vacaciones en la montaña?
* d. Porque es rápido y ecológico.
* e. una parada de autobús?
* f. rápido y puntual.
* g. siga todo recto.
* h. su DNI para la tarjeta Bicing.
* i. cuesta un T-10?
* j. De nada.
* k. la tarjeta Bicing.

>| 4 | 🔊 |14| Escucha, relaciona las preferencias de cada uno con su imagen correspondiente y, luego, señala las dos fotos intrusas.

A 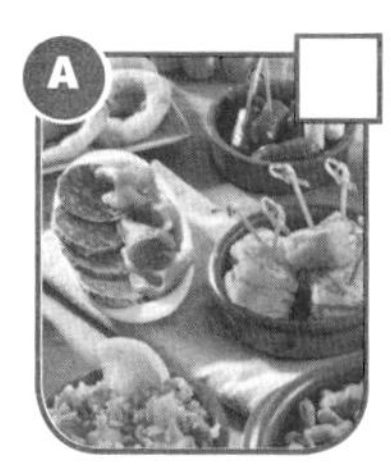

B 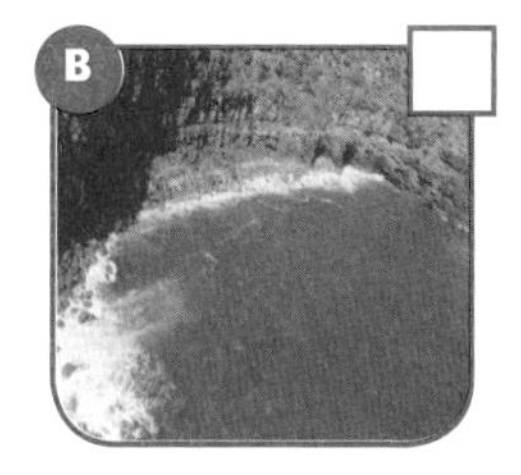

C 

D 

E 

>| 5 | Pablo, Nora, Sergio y Nuria están en Barcelona este fin de semana. Completa los diálogos con la forma verbal y la preposición correctas.

- **Sergio:** ¿(1)............ **(ir, nosotros)** al Parque Güell esta tarde?
- **Nuria:** ¿Al Parque Güell? Está lejos, ¿no?
- **Sergio:** Necesitamos **(2)**............ **(coger)** el metro hasta Vallcarca y desde allí **(3)**............ **(ir, nosotros) (4)**...... pie.
- **Nora:** Yo **(5)**............ **(preferir)** ir **(6)**...... autobús, hay uno directo desde Plaza Catalunya.
- **Sergio:** Y tú, Nuria, ¿qué **(7)**............ **(preferir, tú)** coger?
- **Nuria:** Yo **(8)**............ **(ir)** mejor **(9)**...... metro y después **(10)**...... pie, o también está el tranvía, hay uno que **(11)**............ **(ir) (12)**...... la Plaza Molina, cerca del parque.
- **Pablo:** Uf, qué lío: autobús, metro, tranvía, a pie... ¿Por qué no **(13)**............ **(ir, nosotros) (14)**...... monopatín? Ja, ja, ja.
- **Nora:** Ya está, Sergio y Nuria, vosotros **(15)**............ **(ir) (16)**...... metro y **(17)**...... pie, Pablo y yo **(18)**............ **(coger)** el autobús y nos vemos en la entrada del parque, ¿vale?

>| 6 | Aquí tienes dos anuncios de coches de muy diferentes características. Léelos y subraya los adjetivos que hay.

EL SUPERDEPORTIVO QUE VUELA

Automóvil superdeportivo, biplaza, con una potencia de 660 caballos, moderno y vanguardista, línea estética similar a la de un coche de Fórmula 1, en colores rojo y negro combinados en interior y exterior, caja de cambios de seis marchas y un original sistema de apertura de puertas.

EL MONOVOLUMEN PARA TODA LA FAMILIA

Coche monovolumen de grandes dimensiones con espacio para cinco o siete pasajeros, protege el medioambiente. De conducción suave y dinámica, confort y calidad, equipamiento de seguridad con siete airbags, protección para los más pequeños con asientos infantiles integrados.

>| 7 | A continuación, responde a las preguntas relacionadas con los dos textos, utilizando algunos de los siguientes adjetivos.

*** cómodo * rápido * amplio * familiar * peligroso * caro * moderno**
*** responsable * ecológico * divertido * seguro * contaminante * práctico**

1. ¿Cuál prefieres para ti? ¿Por qué?
   Mi preferencias por mi coche es divertido y ecologic y poco rapido
2. ¿Cuál es mejor? ¿Por qué?
   La caracterista mas importante para coche es divertido
3. ¿Cuál es peor? ¿Por qué?
   La caracteristica peor es cucho contaminante

>| 8 | Lee este billete de tren y rellena el formulario con los datos solicitados.

renfe FORMALIZACIÓN DE ABONO N° BILLETE: **3750**

AVE Madrid y Sevilla
VALIDEZ DE REGRESO 60 DÍAS
Salida: SEVILLA-SANTA JUSTA Coche: 2
Fecha: 05/01 14.10 Plaza: 037

Abono: **79654933260**
TREN: ********

Llegada: MADRID-ATOCHA
Fecha: 05/01 16.25

DNI: 43706689 S
David Fuentes
c/ San Fernando, 6
41004 SEVILLA

Cierre del acceso al tren 2 minutos antes de la salida.

IDA Y VUELTA
Precio: 130€
Gastos de gestión: 5€
TOTAL: 135€

TARIFA: 016

DATOS DEL CLIENTE

Nombre y apellidos: ....

Documento Nacional de Identidad: ....

Domicilio: ....

Código postal: ....

Población: ....

País: ....

DATOS DEL BILLETE

Lugar de origen: ....

Lugar de destino: ....

Número de asiento: ....

Fecha y hora de salida: ....

Fecha y hora de llegada: ....

>| 9 | En estas frases hay varios errores de diferentes tipos: gramaticales, sintácticos, léxicos... Subráyalos y corrígelos.

Ejemplo: *Lo más malo de viajar en avión es el precio de los billetes.*
Lo peor de viajar en avión es el precio de los billetes.

1. ¿Cuánto cuestan este billete de metro? ....
2. Para mí lo más bueno es coger el metro. ....
3. Voy a mi casa todos los días en pie. ....
4. Ir en bicicleta por la ciudad es muy contaminante. ....
5. Viajar es bonito porqué conoces gente. ....

>|10| Escucha las siguientes frases y di si son enunciativas (E) o interrogativas (I).

|15|

1. [E] [I]   3. [E] [I]   5. [E] [I]   7. [E] [I]   9. [E] [I]

2. [E] [I]   4. [E] [I]   6. [E] [I]   8. [E] [I]   10. [E] [I]

>|11| Vas a jugar a SALTAPALABRA. Tienes que encontrar la palabra que se define hasta completar el abecedario y siguiendo las instrucciones. Como es un juego de rapidez, si no sabes la palabra, puedes escribir "SALTAPALABRA" y al llegar a la Z puedes buscar las palabras que te faltan en el diccionario.

Ejemplo: *Empieza por A: vehículo que se mueve por sí mismo porque lleva motor.* *Automóvil.*

1. Empieza por B: contrario de caro. ....
2. Empieza por C: verbo que se usa para preguntar el precio de alguna cosa. ....
3. Contiene la D: las siglas DNI corresponden al Documento Nacional de... ....
4. Empieza por E: preposición que acompaña al verbo IR y que sirve para expresar el medio de transporte. ....
5. Contiene la F: verbo que se usa para indicar que una opción te gusta más que el resto. ....
6. Empieza por G: las damos en español para agradecer. ....
7. Empieza por H: establecimiento que aloja con comodidad a viajeros. ....
8. Empieza por I: moverse de un lugar hacia otro. ....
9. Empieza por J: "Saltapalabra" es un... ....
10. Empieza por K: nombre de la letra. ....
11. Empieza por L: contrario de 'sucio'. ....
12. Empieza por M: "más bueno" no es correcto, debemos usar... ....
13. Empieza por N: si no es 'sí' es... ....
14. Contiene la Ñ: persona con la que compartes alguna cosa. ....
15. Empieza por O: cuando no trabajas y disfrutas de tu tiempo. ....
16. Empieza por P: "más malo" no es correcto, debemos usar... ....
17. Contiene la Q: no es grande. ....
18. Empieza por R: ir en avión es más...que ir en coche. ....
19. Empieza por S: en la playa podemos tomarlo y necesitas ponerte protección para no quemarte con él. ....
20. Empieza por T: lugar donde vas a trabajar. ....
21. Empieza por U: ¿cómo se dice *one* en español? ....
22. Empieza por V: tercera persona singular del verbo IR. ....
23. Empieza por W: capital de Estados Unidos. ....
24. Contiene la X: país fronterizo con Estados Unidos por el sur. ....
25. Empieza por Y: pronombre sujeto de la primera persona del singular. ....
26. Empieza por Z: se llevan en los pies. ....

ACTIVIDADES POR DESTREZAS

PRUEBA DE COMPRENSIÓN DE LECTURA

>|12| Lea esta información. Relacione cada texto con el número correspondiente. Hay tres textos que no debe seleccionar.

- **A** Coge la línea verde del metro hasta la Rambla, son tres paradas.
- **B** Si vas de vacaciones a la isla de la Palma, necesitas alquilar un coche.
- **C** Para viajar por el centro de la ciudad, lo mejor es ir en autobús, en metro o a pie.
- **D** No tengo un abono transporte, un billete sencillo, por favor.
- **E** Necesito comprarme una maleta pequeña para no facturar en el avión.
- **F** Acuérdate de meter el pasaporte y la guía de viajes.
- **G** Estas vacaciones prefiero ir a la montaña, a respirar aire puro.
- **H** Muchas gracias por su información.
- **I** Perdone, ¿la playa de Balmins, por favor?
- **J** Tengo una moto nueva, es cómoda y rápida para ir por la ciudad. Te llevo al trabajo en moto.

- **0** Son 2 euros. .... *D*
- **1** Sí, ya los tengo en la maleta. .... ☐
- **2** Perdona, ¿cómo puedo ir hasta el Liceo? .... ☐
- **3** Sí, mire puede ir en coche hasta la iglesia y después a pie unos diez minutos, allí está la playa. .... ☐
- **4** Alquila-auto, la empresa de alquiler de coches de tu isla. .... ☐
- **5** ¿Tienes otro casco? Es obligatorio llevarlo en la moto. .... ☐
- **6** Oferta última semana de agosto: disfruta de un paisaje excepcional rodeado de montañas y lagos, con un ambiente limpio, sin contaminación. .... ☐

PRUEBA DE COMPRENSIÓN AUDITIVA

>|13| |16| Va a escuchar a Consuelo, que nos cuenta cómo van ella, su marido y sus amigos al trabajo. Escuchará la audición tres veces. Complete el texto con la información que falta.

- **0** Consuelo y su marido viven *en un pueblo*.
- **1** Consuelo y su marido trabajan en la ciudad y van en **(1)** ....
- **2** Marga es **(2)**.......... y va **(3)**.......... a trabajar.
- **3** Juan tiene **(4)**.......... de autobús al lado de su trabajo.
- **4** El marido de Consuelo va **(5)**.......... hasta su despacho.
- **5** Consuelo coge el **(6)**.......... para ir a la oficina.
- **6** Consuelo tarda **(7)**.......... en llegar desde el tranvía hasta la oficina.

PRUEBA DE EXPRESIÓN E INTERACCIÓN ESCRITAS

>|14| Usted va a alquilar unos quads en sus vacaciones. Rellene este formulario.

RUTAS GUIADAS EN QUADS

Formulario de registro de alquiler de quads.
Por favor, complete este formulario:

Nombre: ....

Apellido(s): ....

Edad: ☐

Carné de Conducir B: ....

Fecha de expedición: ....

Fecha de caducidad: ....

Día preferido para la ruta: ....

Hora preferida de salida: ....

Tipo de ruta (duración): ....

Número de quads: ☐ Número de conductores: ☐ Número de acompañantes: ☐

Número de teléfono de contacto: ....

Correo electrónico (para contactar): ....

Forma de pago seleccionada: ☐ Paypal (recomendado) ☐ Transferencia bancaria (datos por e-mail)

Comentarios y sugerencias:

....

....

Fecha y firma digital o nombre y apellidos completos del solicitante:

....

* Mande este formulario a la dirección de correo: rutasquads@gmail.cat

PRUEBA DE EXPRESIÓN E INTERACCIÓN ORALES

>|15| Diálogos basados en láminas (ver anexo de imágenes, páginas 122-123).

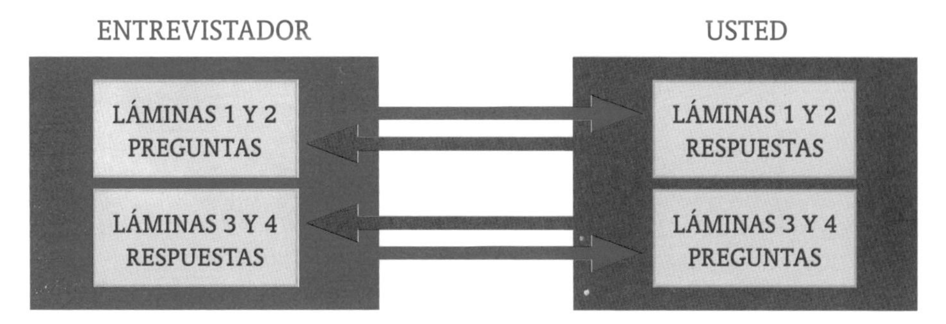

7 ¡HOY ES MI DÍA!

>| **1** | Relaciona las fotografías con las frases correspondientes. Hay tres frases que no se corresponde exactamente con la imagen. Señálalas y escribe la información correctamente.

Ejemplo: *La chica duerme toda la noche.*
Trampa: *La chica no duerme.*

1. Toda la familia come a mediodía sentada alrededor de la mesa.
2. Por la mañana mucha gente va al trabajo.
3. La chica se despierta a las seis y media de la mañana.
4. La mamá acuesta a su hija y le cuenta un cuento.
5. Los domingos es muy agradable desayunar en la cama.

Ej.

A
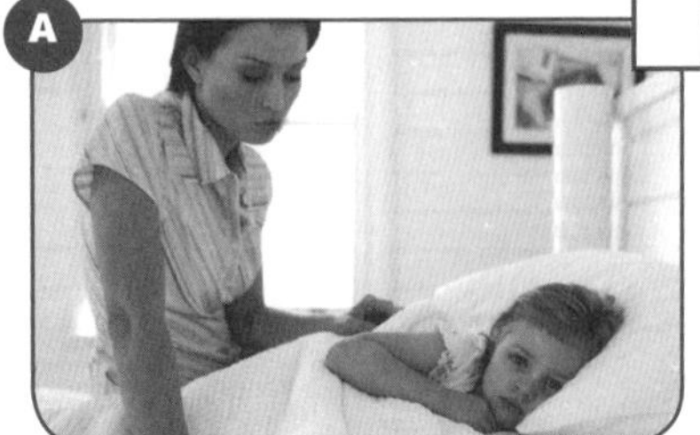

B

C

D

E

Las frases trampa son: ...., ... y ....

Corrección: ....

....

....

>| **2** | Escribe el presente de un verbo irregular e > ie y otro o > ue.

Yo	.... /	Nosotros/as	.... / ....
Tú	.... /	Vosotros/as	.... / ....
Él/ella/usted	.... /	Ellos/ellas/ustedes	.... / ....

>| **3** | Montse y Felipe tienen horarios muy diferentes. Lee qué hacen y escribe la forma verbal correcta. Luego, escucha y comprueba tus respuestas.
| 17 |

Los lunes el despertador **(1)**.............. **(sonar)** a las siete de la mañana. Primero **(2)**.............. **(levantarse)** yo y después **(3)**.............. **(levantarse)** Montse. Montse **(4)**.............. **(desayunar)** mientras yo **(5)**.............. **(ducharse)**. A las ocho yo **(6)**.............. **(salir)** de casa y **(7)**.............. **(ir)** en metro a la oficina. Montse **(8)**.............. **(empezar)** su trabajo a las dos de la tarde, y antes, **(9)**.............. **(ir)** al gimnasio. Nosotros **(10)**.............. **(almorzar)** separados; yo **(11)**.............. **(comer)** en un restaurante cerca de la oficina y mi mujer en casa. Yo **(12)**.............. **(volver)** a casa sobre las seis, **(13)**.............. **(cambiarse)** de ropa y **(14)**.............. **(ir)** al gimnasio. Montse **(15)**.............. **(llegar)** a casa sobre las nueve, **(16)**.............. **(cenar, nosotros)** juntos y **(17)**.............. **(ver)** un rato la televisión. Yo **(18)**.............. **(acostarme)** a las once y Montse a medianoche.

>| 4 | Reflexiona y contesta las preguntas.

1. ¿Qué tienen en común los verbos *empezar, querer* y *preferir*?

....

2. ¿Qué diferencia gramatical hay entre los siguientes pares de verbos?

levantarse/levantar **acostarse/empezar** **dormirse/ir**

....

3. ¿Qué tienen en común los verbos *hacer, tener, salir, estar* e *ir*?

....

>| 5 | Clasifica los adverbios y expresiones de frecuencia y los adverbios y expresiones de cantidad en su caja correspondiente.

*** un dos por ciento * siempre * casi nunca * casi siempre * una vez * muchos * normalmente * todos * pocos * a menudo * muy pocos * pocas veces * todos los días * nadie * muchas veces * nunca * algunas veces**

Adverbios y expresiones de frecuencia	*Adverbios y expresiones de cantidad*

>| 6 | Ordena de más a menos frecuencia los siguientes marcadores.

*** siempre * casi nunca * todos los días * pocas veces * nunca * a menudo * muchas veces * habitualmente * muy pocas veces * algunas veces**

Siempre, ...

....

>| 7 | Busca las preguntas para las respuestas siguientes.

Ejemplo: *Sí, son las 3:00h.*

¿Tiene hora?

1. La tienda abre a las 9:30h.

....

2. Son las 17:15h.

....

3. No, no tengo, lo siento.

....

4. El autobús sale a la una en punto.

....

5. La exposición abre desde las 18:00h hasta las 21:00h.

....

6. Abren todos los días.

....

7. Los museos cierran todos los lunes.

....

>| 8 | LOS HORARIOS DE LOS COMERCIOS

| 18 | Vas a escuchar una noticia de la radio que habla sobre los horarios de algunos establecimientos comerciales. Di si estas afirmaciones son verdaderas o falsas según la información que has escuchado en la radio. Si son falsas, corrígelas.

	V	F
Ejemplo: El Gobierno de Navarra ha multado a veinte tiendas por no respetar los horarios.	○	✓
El Gobierno de Navarra ha multado a seis tiendas, no a veinte.		
1. La ley da más libertad horaria a los comercios pequeños.	○	○
....		
2. Iñaqui abre la tienda todos los días de la semana.	○	○
....		
3. Carmen trabaja de lunes a sábado de 8 de la mañana a 10 de la noche.	○	○
....		
4. Irache cree que los comercios no respetan los horarios.	○	○
....		
5. Carmen compra los domingos.	○	○
....		

>| 9 | Completa los diálogos con la información de este folleto.

Los TOP TEN del ocio

La última hora y lo mejor de las actividades de tu tiempo libre en **Barcelona** al más bajo precio. Del **16** al **22** de enero.

CINE Película ***Mi novio es un zombie 3***/ **Cine Lauren Postigo**/ del 16 al 22 de enero (de lunes a domingo)/Metro: Catalunya/sesiones: 16h, 18h, 20h, 22h/3 euros por sesión.

MÚSICA Concierto de **Los Escarabajos**/**Sala Luz de Velas**. Metro Aribau/sábado 21 y domingo 22 de enero/23 h/2x1,10 euros.

TEATRO Semana de risas/**Centro Comercial Las Divinas**/Metro Vallcarca/del 19 al 22 de enero/sesión única: 19h/5 euros.

RESTAURANTES Tapas a 0'50€/**Piscolabis**/Metro: Gòtic-Born/ toda la semana excepto miércoles/de 21h a 3h.

TARDE Y NOCHE Fiesta de las Máscaras/sala **La Luna y la Ciruela**/ Metro Rocafort/fin de semana/desde las 24h/entrada libre.

ARTE Y MUSEOS **Fotografías de la Guerra Civil** /Museo Nacional de Arte de Catalunya (MNAC)/Parque de Montjuic. Metro España/de martes a domingo/de 10h a 19h/entrada gratuita.

Y MÁS... que puedes encontrar en nuestra web: www.pillabaratobarcelona.es

DIÁLOGO 1

Susana: Hola, Juan, quiero invitarte al concierto de Los Escarabajos el sábado por la noche, ¿quieres ir?

Juan: Ay, me encantan, ya lo sabes, ¿A qué hora es?

Susana: (1) ....

Juan: Es que tengo una cena a las diez con unos amigos del trabajo ese día.

Susana: ¡Qué pena! ¿Y si vamos después a la Fiesta de las Máscaras todos juntos?

Juan: ¿Dónde es?

Susana: (2) ....

Juan: ¡Ah! Pues está cerca. ¿Y a qué hora empieza?

Susana: (3) ....

Juan: ¿Y cuánto cuesta la entrada?

Susana: (4) ....

Juan: ¡Vale! Pues nos vemos allí a partir de la una.

DIÁLOGO 2

Mónica: Hola, Mercedes, ¿tienes algún día libre para vernos esta semana?

Mercedes: ¡Uf! Ya sabes que con el trabajo y los niños... Pero el jueves 19 se quedan con mi madre, ¿por qué?

Mónica: Es que hay una exposición de fotografías de la Guerra Civil.

Mercedes: ¿Dónde?

Mónica: (1) ....

Mercedes: De acuerdo, y si quieres después vamos a cenar, ¿qué te parece? Algo económico...

Mónica: ¡Sí, sí! Barato, barato, ¿unas tapas?

Mercedes: ¿Conoces algún sitio? Dime precios, lugar y hora para quedar.

Mónica: Sí, conozco el restaurante **(2)**...................... . Allí las tapas cuestan **(3)**...................... .

Mercedes: Pues, todo perfecto.

Mónica: Entonces, ¿a qué hora quedamos?

Mercedes: El jueves a las seis de la tarde en la puerta del **(4)**...................... y después vamos de tapas.

Mónica: Hasta el jueves, guapa.

DIÁLOGO 3

Rafa: ¡Hey, **colega**! ¿Sabes que esta semana hay **mogollón de actividades** por poca **pasta** en **Barna**?

Carlos: **¡Qué me dices!** ¡Qué bien! Porque esta semana no tengo **curro**. Cuenta, cuenta... Todos los días, que **paso de** estar en casa...

Rafa: Mira, el lunes **(1)** ....

El martes **(2)** ....

El miércoles **(3)** ....

El jueves **(4)** ....

El viernes **(5)** ....

Carlos: ¿Y el **finde**?

Rafa: Pues el sábado **(6)** ....

Y el **(7)** ....

Carlos: **¡Qué pasada!** Voy a **darles un toque** a los otros colegas y hablamos... Hasta luego.

Colega: amigo.
Mogollón de actividades: muchas actividades.
Pasta: dinero.
Barna: Barcelona.
¡Qué me dices!: expresión de sorpresa.
Curro: trabajo.
Paso de...: no quiero...
Finde: fin de semana.
¡Qué pasada!: ¡Qué bien!
Dar un toque: llamar, avisar.

> **10** Estas son las cosas que hace Diego en un día normal. Conjuga los verbos, ordena las acciones y después escribe su rutina.

- [1] Levantarse/7h. → *Diego se levanta a las 7.*
- [ ] Salir a trabajar/8h. → ....
- [ ] Cenar/10:30h/acostarse/24:30h-1h. → ....
- [ ] Ducharse/desayunar/vestirse. → ....
- [ ] Trabajar/oficina/8:30-18:30h. → ....
- [ ] Volver/casa/cambiarse. → ....
- [ ] Coger/metro/8:10h. → ....
- [ ] Ir/gimnasio/19:00h-21:00h o Quedar/amigos. → ....

Diego se levanta a las siete en punto de la mañana. A continuación se ducha, ...

....

....

....

ACTIVIDADES POR DESTREZAS

PRUEBA DE COMPRENSIÓN DE LECTURA

> **11** Observe esta oferta cultural y de ocio. Complete las oraciones que aparecen a continuación con la información del texto.

CINE	GASTRONOMÍA	CONCIERTO	EXPOSICIONES	MODA
Festival de cine de A Coruña Del 14 al 25 de enero A Coruña será la capital europea de cine independiente. Se presentan siete largometrajes de ficción, siete de no ficción y treinta y dos cortometrajes.	**Luzcontraluz** El restaurante Luzcontraluz ofrece comida mediterránea, recetas naturales y divertidas. C/ Milanés, 22, La Bonanova. Horario: de lunes a viernes de 10:00 a 22:00h, sábados de 10:00 a 24:00h.	**Leonard Cohen**, de gira por España, presenta su último disco en la capital, en la sala Aplaude, del 2 al 10 de abril. Precio: de 50 a 100 euros. Horario: a las 23:00h todos los días excepto domingo.	**Impresionistas: maestros franceses de la colección Clark.** Lugar: Caixaforum, Barcelona. Av. Ferrer i Guàrdia, 6-8. Horario: de lunes a viernes de 10:00 a 20.00h, sábados, domingos y festivos de 10:00 a 21:00h. Precio: Actividad gratuita.	**Pase primavera-verano** Las mejores firmas de moda se unen el próximo fin de semana en un desfile inaugural de la temporada. Horario: sábado y domingo de 12:00 a 16:00h y de 18:00 a 21:00h. Lugar: Palacio de Lirio. Imprescindible invitación.

1. Las películas del festival son de **(1)**.................., ... y **(2)**...................
2. El restaurante Luzcontraluz está en el número **(3)**.... de la calle **(4)**.................. en **(5)**...................
3. Leonard Cohen actúa todos los días a las **(6)**.................., excepto **(7)**...................
4. El precio de las entradas del concierto es de **(8)**...................
5. En Caixaforum se puede ver **(9)**...................
6. La entrada a la exposición es **(10)**...................
7. El horario del desfile es **(11)**...................
8. Para entrar en el desfile se necesita **(12)**...................

PRUEBA DE COMPRENSIÓN AUDITIVA

>|12| |19| Va a escuchar a Paula, que está hablando de lo que va a hacer la próxima semana. Escuchará cada actividad dos veces. Relacione cada día con la actividad correspondiente. Hay tres actividades que no debe seleccionar.

- **A** Reunión de trabajo.
- **B** Toma el sol.
- **C** Come con la familia.
- **D** Va al dentista.
- **E** Desayuna en la playa.
- **F** Descansa en casa.
- **G** Toma algo con Carlos y Amparo.
- **H** Sale a una discoteca.
- **I** Hace ejercicio.
- **J** Va al cine.
- **K** Cita con Nacho.
- **L** Renueva el vestuario.

- **1** El lunes... ☐
- **2** El martes por la mañana... ☐
- **3** El martes por la tarde... ☐
- **4** El miércoles... ☐
- **5** El jueves... ☐
- **6** El viernes... ☐
- **7** El sábado por la mañana... ☐
- **8** El domingo a mediodía... ☐
- **9** El domingo por la tarde... ☐

PRUEBA DE EXPRESIÓN E INTERACCIÓN ESCRITAS

>|13| Va a escribir un correo electrónico a una amiga de su país para explicarle cómo transcurre un día en su vida en España. En él debe:

- saludarla;
- explicar qué hace usted un día normal;
- preguntarle cómo le va a ella;
- despedirse.

Número de palabras: entre 20 y 30.

PRUEBA DE EXPRESIÓN E INTERACCIÓN ORALES

>|14| Usted debe seleccionar tres de las cinco opciones para hablar durante 2 o 3 minutos.

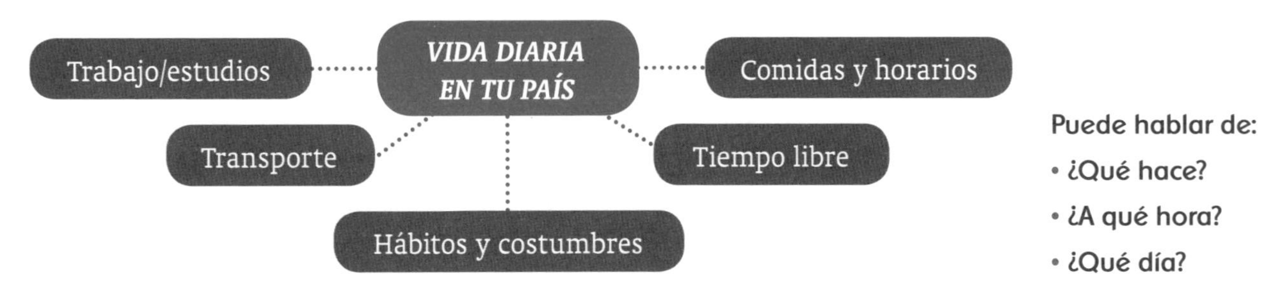

Puede hablar de:

- ¿Qué hace?
- ¿A qué hora?
- ¿Qué día?

8 ¿A CENAR O AL CINE?

>| **1** | Agrupa las siguientes expresiones en la columna correspondiente.

*** jugar a las cartas * hacer un informe * ir al teatro * tener una reunión * ir de vacaciones * ir de viaje de trabajo * jugar a la pelota * ver una película * hacer un curso * tomar unas copas * tener un examen * ir a la biblioteca**

Actividades de ocio	*Actividades de trabajo/estudio*
Jugar a las cartas.	*Hacer un informe.*

>| **2** | Completa las frases con el pronombre y la forma verbal correspondiente.

1. ¿A Lelia y a Suso *les* *gusta* **(gustar)** mucho su nueva casa.
2. ¿A ellos .... **(parecer)** interesante el partido?
3. A Iván .... **(interesar)** los deportes de aventura.
4. A mí no .... **(gustar)** las películas de terror.
5. A vosotros no .... **(importar)** nada.
6. A ti .... **(encantar)** salir de fiesta.
7. A Juana .... **(doler)** los pies de bailar.
8. A ti y a mí .... **(interesar)** cosas diferentes.
9. A nosotros .... **(encantar)** la cerveza fría en verano.
10. ¿A vosotros .... **(gustar)** este ejercicio?

>| **3** | Ordena de mayor a menor grado de intensidad los siguientes verbos y expresiones.

*** encantar * odiar * no gustar demasiado * gustar mucho * gustar muchísimo * no gustar nada * gustar bastante**

Encantar, ...

>| **4** | Relaciona las siguientes frases con su foto correspondiente.

1. Al niño no le gusta mucho la verdura.
2. Al señor no le gusta nada poner la lavadora.
3. Al niño le gusta muchísimo ir al colegio.
4. Al señor le encanta cocinar.
5. A la chica no le gustan nada las hamburguesas.
6. A la chica no le gusta el vestido.
7. El señor odia el ruido.
8. A la chica no le gusta demasiado despertarse temprano.

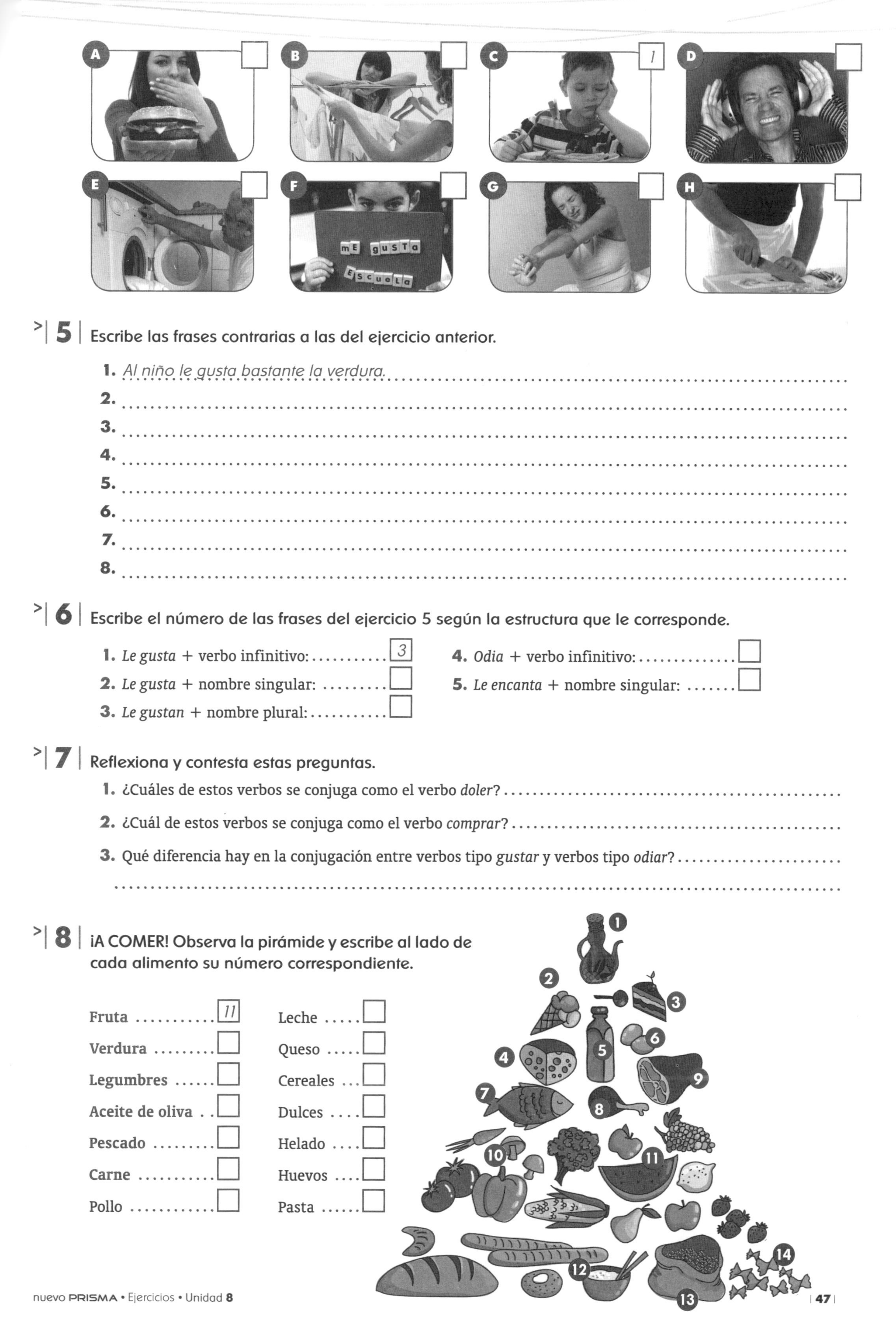

>| 5 | Escribe las frases contrarias a las del ejercicio anterior.

1. *Al niño le gusta bastante la verdura.*
2. ....
3. ....
4. ....
5. ....
6. ....
7. ....
8. ....

>| 6 | Escribe el número de las frases del ejercicio 5 según la estructura que le corresponde.

1. *Le gusta* + verbo infinitivo: 3
2. *Le gusta* + nombre singular: .... ☐
3. *Le gustan* + nombre plural: .... ☐
4. *Odia* + verbo infinitivo: .... ☐
5. *Le encanta* + nombre singular: ...... ☐

>| 7 | Reflexiona y contesta estas preguntas.

1. ¿Cuáles de estos verbos se conjuga como el verbo *doler*? ....
2. ¿Cuál de estos verbos se conjuga como el verbo *comprar*? ....
3. Qué diferencia hay en la conjugación entre verbos tipo *gustar* y verbos tipo *odiar*? ....

....

>| 8 | ¡A COMER! Observa la pirámide y escribe al lado de cada alimento su número correspondiente.

Fruta	11	Leche	☐
Verdura	☐	Queso	☐
Legumbres	☐	Cereales ...	☐
Aceite de oliva ..	☐	Dulces	☐
Pescado	☐	Helado	☐
Carne	☐	Huevos	☐
Pollo	☐	Pasta	☐

>| 9 | Los alimentos señalados en color rojo del ejercicio anterior son los indicados para hacer una dieta mediterránea. Teniendo esto en cuenta, elabora un menú típico de la cocina mediterránea con tres platos de primero, tres de segundo y tres postres a elegir, con algunos de los platos que aparecen en el cuadro.

* fruta del tiempo
* ensalada mixta * lentejas
* helado * pescado a la plancha con ensalada
* guisado de ternera
* flan de huevo
* verduras al vapor
* sardinas * pizza
* hamburguesa con patatas fritas
* tarta de manzana
* guisantes con jamón
* espaguetis carbonara
* pollo asado con ensalada
* sopa de fideos
* ensalada de patata

Menú

Primer plato

....

....

....

Segundo plato

....

....

....

Postres: ....

....

....

>|10| Horarios y tipo de comida en Japón. Lee el texto de la siguiente página web.

http://www.japon.pordescubrir.com

- ✓ Turismo Japón
- ✓ Turismo Hokkaido
- ✓ Turismo Kinki
- ✓ Turismo Tohoku
- ✓ Turismo Chugoku
- ✓ Turismo Kanto
- ✓ Turismo Okinawa
- ✓ Turismo Shikoku
- ✓ Turismo Chubu
- ✓ Turismo Kyushu
- ✓ Noticias
- ✓ Aeropuertos de Japón
- ✓ Alojamiento en Japón
- ✓ Transporte en Japón
- ✓ Buscador
- ✓ Contacta
- ✓ Foro
- ✓ Fotos de Japón
- ✓ Curso de Japonés
- ✓ Escribe tu comentario

¡JAPÓN, qué diferente eres!

Los hábitos alimenticios de los japoneses son muy diferentes a los de los españoles. Los japoneses son personas muy metódicas y siempre suelen comer a la misma hora. Por ejemplo, el desayuno lo toman entre las seis y las siete de la mañana ya que empiezan a trabajar muy temprano y suelen madrugar mucho. Este desayuno incluye arroz, miso y pescado, entre otros ricos alimentos.

Tras el desayuno, llega el almuerzo a eso de las doce de la mañana. El almuerzo puede estar compuesto de cualquier alimento, se realiza frecuentemente dentro del propio lugar de trabajo y es rápido.

Sobre las siete de la tarde llega la cena, que suele realizarse en familia y es la comida principal del día. Este momento es, para los japoneses, muy importante y suelen disfrutarlo en compañía. El menú se compone de platos variados, entre los que nunca faltan el arroz y el pescado.

HOTEL GOOD MORNING

ESTE HOTEL DE 5 ESTRELLAS ESTÁ SITUADO DENTRO DE LOS LÍMITES DE TOKYO.

RESTAURANTE SUSHI

Este restaurante desmitifica la idea que existe fuera de Japón de que este país es caro, especialmente comer. Muy al contrario, comer aquí puede ser mucho más barato que en España.

Artículo adaptado de http://japon.pordescubrir.com

>|**11**| Escribe un texto en la sección: *Escribe tu comentario* explicando las diferencias que observas entre los hábitos alimenticios japoneses y los españoles. Utiliza la información que has leído y la que aparece en la tabla siguiente. Luego, explica tus propias costumbres.

Hábitos alimenticios de los españoles

Nombre de la comida	Tipo de comida	Horario
Desayuno	Café con leche, zumo, tostadas, bollo, churros...	De 6 a 9h.
Almuerzo	Café, refresco, pequeño bocadillo...	De 10 a 12h.
Comida (principal)	Dos platos y postre	De 14 a 16h.
Merienda	Café, refresco, bocadillo, sándwich...	De 17 a 18h.
Cena	Sopa, verdura o ensalada, tortilla, jamón y queso...	De 21 a 23h.

Escribe tu comentario

Los japoneses desayunan, como muy tarde, a las 7 de la mañana pero los españoles lo hacen entre las 6 y las 9.

....

A mí me gusta desayunar pronto/tarde y suelo tomar...

....

>|**12**| |20| Sonia es masajista, trabaja en el SPA del hotel Omnia, en Burgos. Recibe a Diego, su primer paciente. Escucha el diálogo entre Sonia y Diego y señala en el dibujo las partes del cuerpo que le duelen a Diego y sus síntomas. Luego, escribe las frases como en el ejemplo.

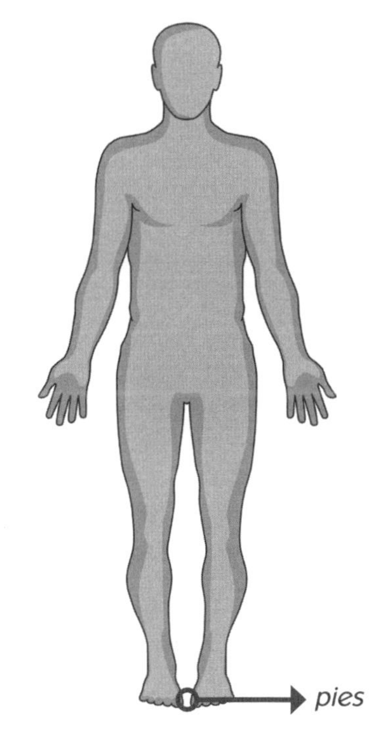

ACTIVIDADES POR DESTREZAS

PRUEBA DE COMPRENSIÓN DE LECTURA

>13 Lea estos diálogos. Relacione la letra de cada diálogo con el lugar correspondiente. Hay tres diálogos que no debe seleccionar.

- *Yo, de primero, una ensalada y de segundo pescado.*
- *¿Y para beber?*
- *Agua, por favor.*

- *Buenos días, ¿a qué hora sale el próximo tren para Sevilla?*
- *Hay un AVE a las 15:30h.*
- *Deme un billete, por favor.*

- *¿A qué hora cenamos esta noche?*
- *Yo llego a las 20:00h y papá a las 20:30h, entonces cenamos sobre las 21:00h.*
- *Vale.*

- *Hola, quería una barra de pan.*
- *¿Integral?*
- *Sí, por favor. ¿Cuánto es?*
- *Son 1 con 30.*
- *Aquí tiene.*

- *¿A qué hora es la reunión con el director general?*
- *A las 10:30h, no te retrases.*
- *No, no, que es importante, a las 10:20h voy a estar ya en la oficina.*

- *Buenos días, ¿en qué puedo ayudarle?*
- *Necesito renovar mi pasaporte.*
- *¿Tiene dos fotos?*
- *Sí, y ya he rellenado el impreso también.*
- *Muy bien, gracias, espere un momento.*

- *Perdona, ¿tienes hora?*
- *No, lo siento, no llevo reloj.*

- *¿Nos sentamos un poquito en ese banco?*
- *Ay, sí, ¡qué bien! Hay tantos árboles y flores aquí, se está de maravilla.*

- *Hola buenas tardes, ¿qué desea?*
- *Me encantan esos zapatos rojos.*
- *¿Qué número usa?*
- *El 38.*

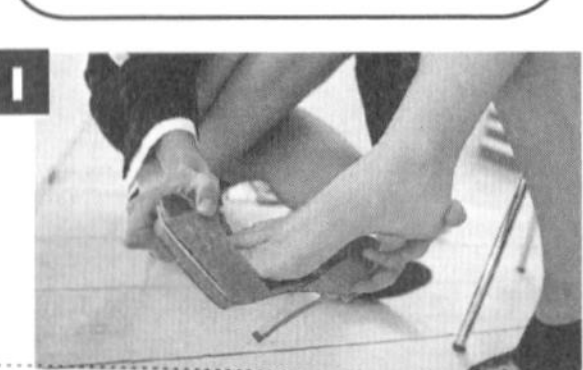

- *¿Podría cambiarme este billete de quinientos euros?*
- *Sí, claro, ¿en billetes de cien o más pequeños?*

1 En una zapatería. .... Diálogo ☐
2 En comisaría. .... Diálogo ☐
3 En la calle. .... Diálogo ☐
4 En casa. .... Diálogo ☐
5 En un banco. .... Diálogo ☐
6 En un parque. .... Diálogo ☐
7 En el trabajo. .... Diálogo ☐

PRUEBA DE COMPRENSIÓN AUDITIVA

>|14| |21| Carmen recibe una llamada de la agencia Silver. Están haciendo la campaña *REFRESCA*, sobre gustos y preferencias de las bebidas del verano. Escuche la conversación entre Carmen y Claudia y complete la información que falta. Escuchará la audición tres veces.

1 Carmen tiene **(1)**.......................... tiempo.

2 Los refrescos de naranja y limón **(2)**.......................... que los de cola.

3 Carmen prefiere **(3)**.......................... al limón.

4 Los refrescos con gas no le **(4)**..........................

5 Por la mañana **(5)**.......................... agua.

6 Por la tarde **(6)**...................... tomar un **(7)**...................... en una **(8)**......................

7 Por la noche **(9)**...................... un refresco de naranja con unas gotas de vodka.

PRUEBA DE EXPRESIÓN E INTERACCIÓN ESCRITAS

>|15| Usted tiene una tienda de productos ecológicos. Escriba un folleto en el que debe decir:

- cuáles son los malos hábitos alimenticios;
- qué debemos comer y a qué horas para estar sanos;
- nombre de la tienda y eslogan publicitario;

Número de palabras: entre 20 y 30.

bio
PRODUCTOS ECOLÓGICOS
Alimentación 100% natural

La comida rápida es una solución para muchas familias pero.........

....

....

....

....

....

....

PRUEBA DE EXPRESIÓN E INTERACCIÓN ORALES

>|16| Usted debe hacer una presentación personal durante 1 o 2 minutos. Debe hablar sobre:

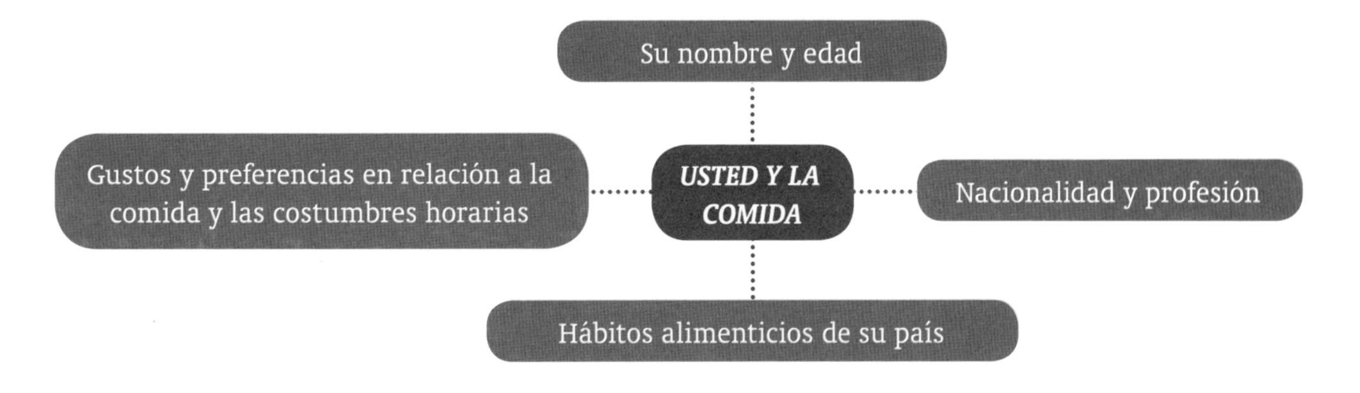

9 NOS VAMOS DE TAPAS

1 Ordena el siguiente diálogo entre un camarero y dos clientes.

- [ ] ¿Algo para picar?
- [ ] Yo un vino, un ribera del Duero.
- [ ] ¡Hola, buenas tardes, ¿qué van a tomar?
- [ ] Vale, pues una Estrella.
- [ ] Para mí una cerveza, ¿tienen Mahou?
- [ ] Sí, unas patatas bravas y unas aceitunas.
- [ ] No, solo tenemos cerveza Estrella.
- [ ] Ah, y también la cuenta, por favor.
- [9] Muy bien, un vino, una cerveza, una ración de patatas, una tapa de aceitunas y la cuenta. ¡Marchando!

2 DE TAPAS. Lee el blog *Tapa con caña* y elige la opción correcta según la información.

Este blog te recomienda los bares de tapas con más tradición de la ciudad de Madrid. En esta ocasión os recomendamos dos bares famosos donde una rica y abundante tapa con cada bebida fideliza al cliente.

El primero es **Los Rodríguez** (Calle Sanmartín, tfno: 915 80 31 52; calidad/precio: 8/10). Situado en el barrio de Tetuán y bastante escondido, de decoración sencilla y no muy espacioso. Todas estas "ventajas" se te olvidarán cuando empiecen a ponerte alguna de sus contundentes **tapas**. Especial mención a su riquísimo pincho de tortilla de patatas, pero también pueden caer **tapas** de jamón, chorizo, salchichón, pimientos rellenos. Además, si te quedas con hambre, dejan en la barra una bandeja con algunos canapés, patatas y cortezas. Además solo pagas las tapas. ¡La cerveza es gratis!

El segundo es **Mareas Bajas** (Calle Valencia, tfno: 915 38 40 35; Calidad/Precio: 7/10). La localización del bar es mucho más céntrica (entre la plaza de España y Santo Domingo). Es uno de esos **bares de tapas** que el boca a boca llena cada fin de semana. El sitio es relativamente amplio, con barra y mesas, por lo que si consigues un buen sitio disfrutarás más del tapeo. Entre las **tapas** que suelen sacar, hay **platos** de paella, canapés de queso, salchichas, pimientos de piquillo con patatas y hasta garbanzos con carne. La caña a 1,50€. También recomendable para comer.

¡A disfrutar de un buen tapeo! Saludos.

1. ¿Qué significa "tapeo"?

a. ◯ Es tomar una tapa con una caña.

b. ◯ Es ir de tapas por los bares y restaurantes.

c. ◯ Es salir de noche y tomar unas cañas.

d. ◯ Es ir con tapas por los bares y restaurantes.

2. Un pincho es...

a. ◯ un palillo que pincha.

b. ◯ una ración de jamón, chorizo, salchichón, etc.

c. ◯ un alimento básico de la comida española.

d. ◯ una rebanada de pan con una ración de comida encima.

3. En los dos restaurantes del blog...

a. ◯ las tapas son gratis.

b. ◯ las cañas son gratis.

c. ◯ puedes tomar tapas muy variadas.

d. ◯ las cañas no son totalmente gratis.

4. ¿Cuál de estas frases es verdadera?

a. ◯ En Los Rodríguez puedes encontrar un ambiente selecto.

b. ◯ En Mareas Bajas el plato "estrella" es la tortilla de patatas.

c. ◯ En Mareas Bajas puedes comer o tomar tapas.

d. ◯ El bar Los Rodríguez está muy bien situado.

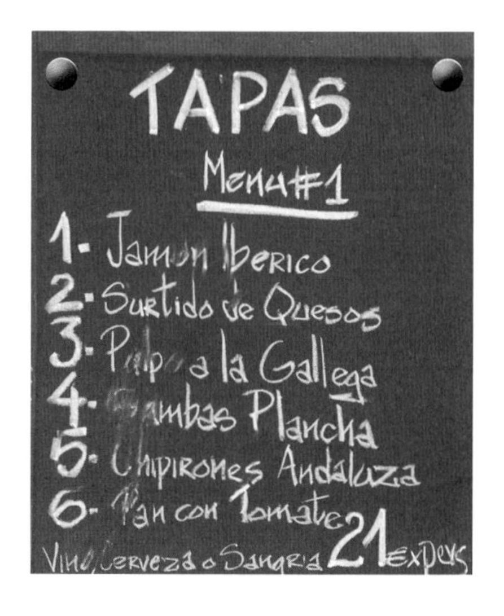

>| **3** | Ahora, con la información del ejercicio anterior, descubre el restaurante en el que estás tapeando y completa el diálogo con el camarero.

Camarero: Hola, buenos días. Bienvenidos al bar **(1)** ....

Tú: *(Saluda)* **(2)** .... *(Agradece la bienvenida)* **(3)** ....

Camarero: (4) ....?

Tú: Dos cañas bien frías, por favor.

Camarero: (5) ....?

Tú: No sé..., tapas o pinchos para compartir. ¿Qué especialidades tienen?

Camarero: Tenemos la tapa de tortilla de patatas y pinchos de lo que quieran: **(6)** ....
....

Tú: Vale, pues la tapa más rica que tienen y dos pinchos de jamón, dos de pimientos, y uno de salchichón para mí.

Camarero: De acuerdo, entonces serán dos **(7)** .... para beber y para picar **(8)** ....
.... Ahora les traemos unos canapés también.

Tú: No, no, gracias.

Camarero: Son regalo de la casa.

Tú: ¡Ah! *(Agradece el regalo)* **(9)** .... *(Pide la cuenta)* **(10)** ....

Camarero: Sí son 6 euros las tapas.

Tú: ¿Y las cañas? ¿Nos las cobra?

Camarero: (11) ....

Tú: Pues otra vez *(Agradece la invitación)* **(12)** ....

Camarero: Buen provecho y hasta pronto.

Tú: *(Despídete)* **(13)** ....

>| 4 | Escribe el gerundio de estos verbos.

1. cantar *cantando*..........	**6.** bajar	**11.** aprender ....
2. charlar	**7.** vivir	**12.** entender ....
3. beber	**8.** escribir	**13.** prohibir ....
4. salir	**9.** comer	**14.** aplaudir ....
5. entrar	**10.** hacer	**15.** comprar ....

>| 5 | Ahora, escribe el infinitivo de los siguientes gerundios.

1. durmiendo	**5.** siendo ....
2. leyendo	**6.** pudiendo ....
3. diciendo	**7.** viendo ....
4. oyendo	**8.** yendo ....

>| 6 | Transforma el infinitivo de las frases siguientes para decir cómo se divierte Sergio.

salir por la noche * ver una peli de terror * leer cómics * charlar con mis amigos * hacer cursos de cocina * pasear por la playa

Sergio se divierte saliendo por la noche...

....

....

....

>| 7 | Y tú, ¿cómo te diviertes? Escribe tres ejemplos usando la estructura *divertirse* + gerundio.

....

>| 8 | |22| Vas a escuchar siete mensajes de teléfono relacionados con tres conversaciones diferentes. Agrúpalos según la conversación a la que pertenecen.

Conversación 1 → mensajes ..*a*.. y ......

Conversación 2 → mensajes ...... , ... y ......

Conversación 3 → mensajes ...... y ......

>| 9 | Di para qué se utilizan estas expresiones que has escuchado en los mensajes (proponer algo, rechazar una invitación o concretar una cita).

1. ¿A qué hora...?	**4.** ¿Quedamos en...? ....
2. ¿Qué tal si...?	**5.** A las ocho en el... ....
3. ¿Qué te parece si...?	**6.** Lo siento, es que... ....

>|10| Escucha y subraya las palabras que oyes.

|23|

yema	**llave**	**chico**	**rayo**	**hoy**	**llevar**	**reyes**	**chorizo**	**playa**	**pecho**
pena	**calle**	**chino**	**ramo**	**voy**	**llenar**	**leyes**	**chamizo**	**placa**	**lecho**

>|11| Ana llama a Luisa para proponerle un plan. Completa el diálogo con las palabras que faltan.

Ana: ¡Hola, Luisa! ¿Qué tal? te llamo por si te apetece hacer algo esta tarde.

Luisa: ¿Esta tarde? No puedo, **(1)**.................., **(2)**.................. tengo que estudiar, mañana tengo un examen de Historia. ¿**(3)**.................. quedamos el fin de semana?

Ana: Bueno, ¿**(4)**...................... el sábado por **(5)**......................?

Luisa: ¡Vale! **(6)**......................... Hay una película de miedo que está muy bien. La echan en el cine Sideral.

Ana: Genial, ¿**(7)**..?

Luisa: Mira, hay una sesión a las cinco y otra a las siete. Si quieres **(8)**.............. .... para tomar un café y hablar y después **(9)**................ .... a la sesión de las **(10)**.................. .

Ana: De acuerdo, entonces **(11)**....................... a las cinco en **(12)**....................... del cine.

Luisa: Muy bien, ¡hasta **(13)**.......................!

ACTIVIDADES POR DESTREZAS

PRUEBA DE COMPRENSIÓN DE LECTURA

>|12| Usted va a leer un correo electrónico. A continuación lea las preguntas (1-6) y seleccione la opción correcta (A, B, C o D).

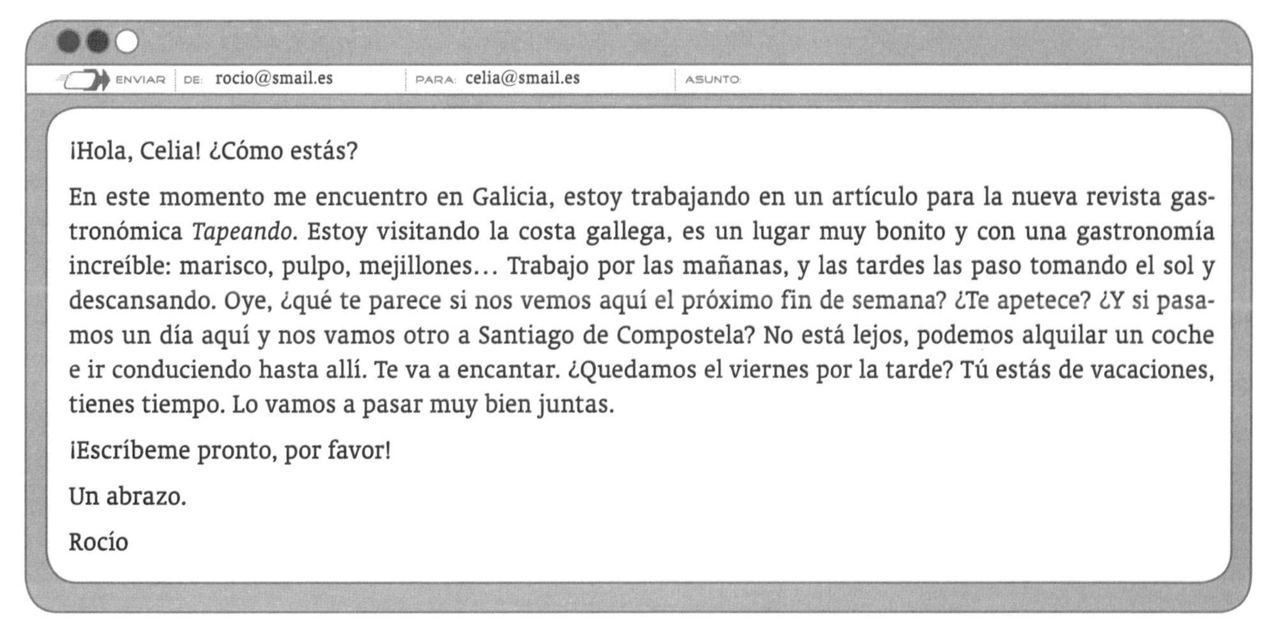

ENVIAR | DE: rocio@smail.es | PARA: celia@smail.es | ASUNTO:

¡Hola, Celia! ¿Cómo estás?

En este momento me encuentro en Galicia, estoy trabajando en un artículo para la nueva revista gastronómica *Tapeando*. Estoy visitando la costa gallega, es un lugar muy bonito y con una gastronomía increíble: marisco, pulpo, mejillones... Trabajo por las mañanas, y las tardes las paso tomando el sol y descansando. Oye, ¿qué te parece si nos vemos aquí el próximo fin de semana? ¿Te apetece? ¿Y si pasamos un día aquí y nos vamos otro a Santiago de Compostela? No está lejos, podemos alquilar un coche e ir conduciendo hasta allí. Te va a encantar. ¿Quedamos el viernes por la tarde? Tú estás de vacaciones, tienes tiempo. Lo vamos a pasar muy bien juntas.

¡Escríbeme pronto, por favor!

Un abrazo.

Rocío

1 Rocío escribe sobre...

- ○ **a.** sus vacaciones en Galicia.
- ○ **b.** sus hoteles en Galicia.
- ○ **c.** su trabajo en Galicia.
- ○ **d.** su curso de español en Santiago.

2 Rocío está visitando...

- ○ **a.** la editorial de la revista.
- ○ **b.** la costa.
- ○ **c.** a los marisqueros.
- ○ **d.** Santiago de Compostela.

3 La comida gallega es conocida por...

- ○ **a.** su marisco.
- ○ **b.** sus cereales.
- ○ **c.** sus legumbres.
- ○ **d.** sus lácteos.

4 Por las tardes, Rocío está...

- ○ **a.** tapeando por los bares.
- ○ **b.** escribiendo un artículo.
- ○ **c.** descansando.
- ○ **d.** de viaje.

5 Rocío propone a su amiga...

- ○ **a.** verse el fin de semana.
- ○ **b.** hablar el sábado.
- ○ **c.** viajar en tren a Santiago.
- ○ **d.** trabajar juntas.

6 Rocío le pide a Celia...

- ○ **a.** un número de teléfono.
- ○ **b.** un coche.
- ○ **c.** diversión.
- ○ **d.** una respuesta rápida.

PRUEBA DE COMPRENSIÓN AUDITIVA

>|**13**| |24| Va a escuchar cinco conversaciones. Hablan dos personas. Las conversaciones se repiten dos veces. Hay cuatro imágenes (A, B, C o D) para cada conversación. Usted debe seleccionar la imagen que está relacionada con la conversación.

1 ¿Dónde van a verse?

○ **a.**

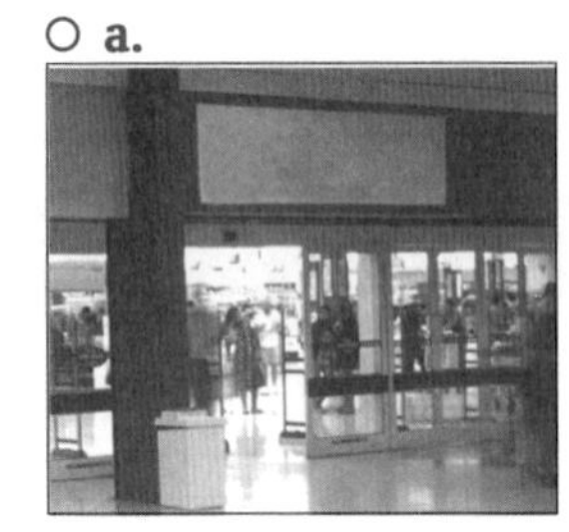

○ **b.**

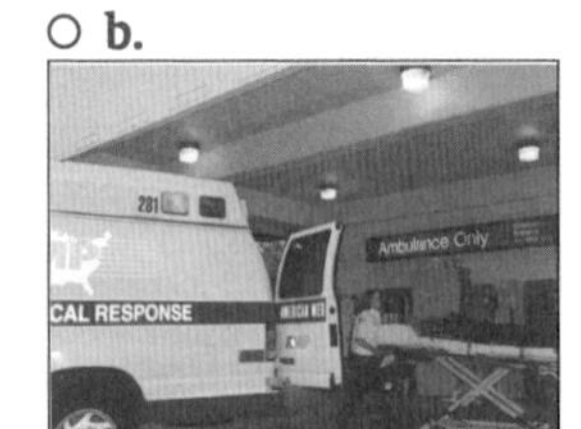

○ **c.**

○ **d.**

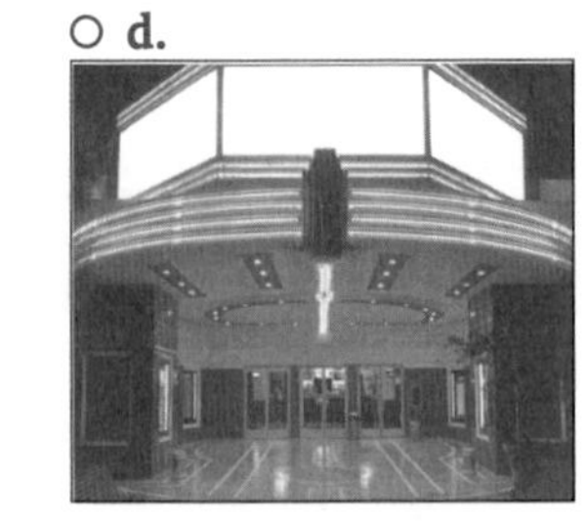

2 ¿Dónde entran?

○ **a.**

○ **b.**

○ **c.**

○ **d.**

3 ¿Dónde está Carlos de vacaciones?

○ **a.**

○ **b.**

○ **c.**

○ **d.**

4 ¿Cómo quiere pagar?

○ a.

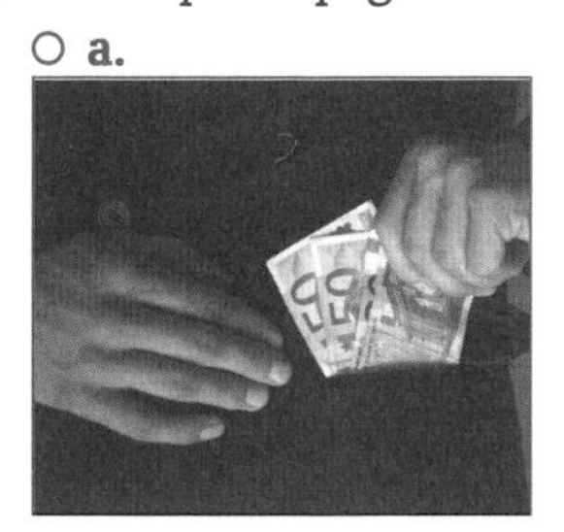

○ b.

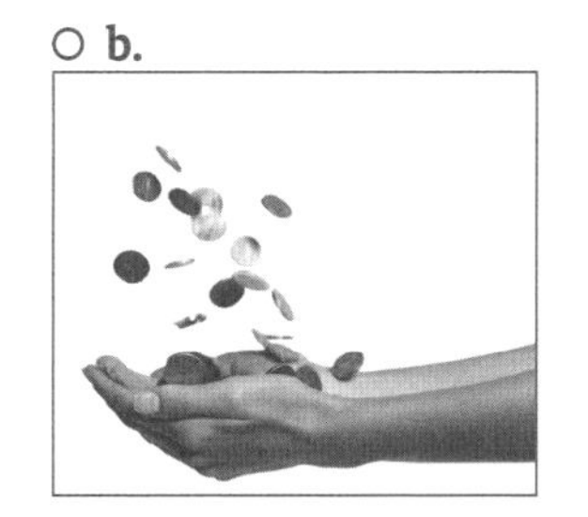

○ c.

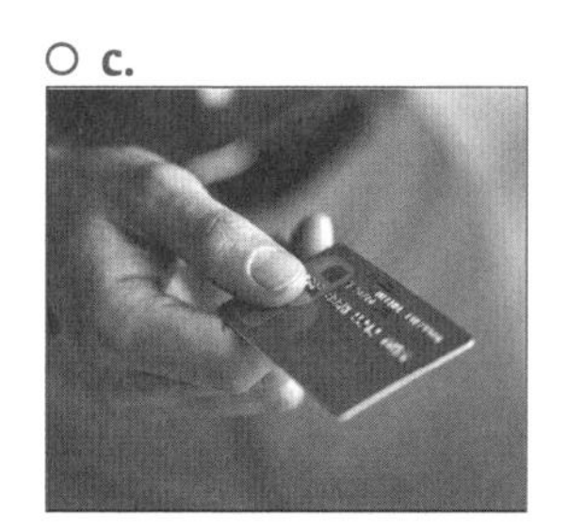

○ d.

5 ¿Qué le gusta a Luisa?

○ a.

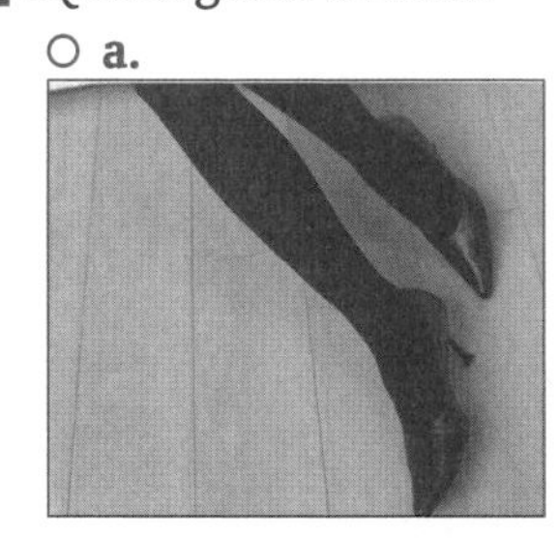

○ b.

○ c.

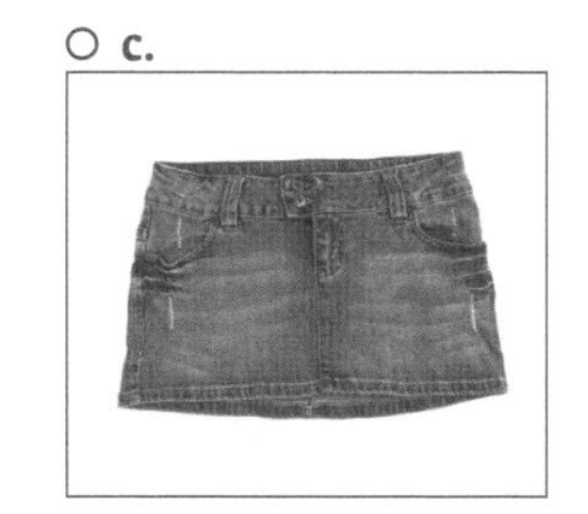

○ d.

PRUEBA DE EXPRESIÓN E INTERACCIÓN ESCRITAS

>|14| Usted tiene que escribir una carta a una escuela de español de mucho prestigio que recibe muchas solicitudes para poder estudiar allí. El texto es para describir qué necesidades, intereses y objetivos tiene como estudiante de español.

El texto debe contener información sobre:

- por qué y para qué estudia español;
- a qué nivel quiere llegar;
- cuánto tiempo quiere estudiar;
- cómo estudia español (recuerde que aquí debe usar la forma del gerundio);
- qué aspectos cree que debe mejorar.

Número de palabras: entre 20 y 30.

....

....

....

....

....

PRUEBA DE EXPRESIÓN E INTERACCIÓN ORALES

>|15| Diálogos basados en láminas (ver anexo imágenes, páginas 123-124).

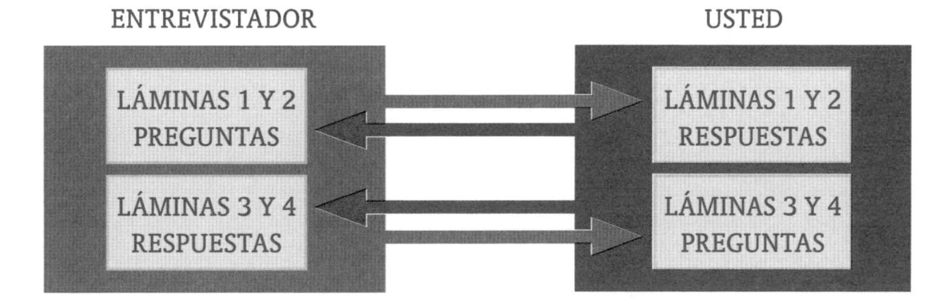

10 ¡MAÑANA ES FIESTA!

> 1 Días festivos en España. Relaciona cada fiesta con su fecha correspondiente. Si lo necesitas, puedes consultar Internet.

1. Día de Todos los Santos. .... *	* a. 1 de enero.
2. Fiesta Nacional Española. .... *	* b. 6 de enero.
3. Año Nuevo. .... *	* c. 15 de agosto.
4. Navidad. .... *	* d. 12 de octubre.
5. Día de la Constitución Española. .... *	* e. 1 de noviembre.
6. Día de Reyes. .... *	* f. 6 de diciembre.
7. Asunción de la Virgen. .... *	* g. 8 de diciembre.
8. Día de la Inmaculada Concepción. .... *	* h. 25 de diciembre.

> 2 Escribe la persona a la que se refieren los siguientes imperativos regulares.

1. canta ....
2. mirad ....
3. beba ....
4. beban ....
5. empezad ....
6. escribe ....
7. lean ....
8. escribid ....
9. leed ....
10. sirve ....
11. pida ....
12. siéntese ....

> 3 Ordena los siguientes imperativos irregulares según la persona a la que pertenecen.

*** haga * ve * pongan * vaya * haz * vengan * salid * venid * ponga * tened * poned * vayan * tenga * ven * haced * ten * sal * tengan * pon * salga * salgan * id * hagan * venga**

TÚ	USTED	VOSOTROS	USTEDES

>| 4 | Mando y ordeno. Adivina quién dice cada frase.

1. Sentaos y abrid el libro por la página 12. Lee, Pedro, por favor. → *profesor/a*
2. Coloquen el asiento en posición vertical y pónganse los cinturones de seguridad, vamos a despegar en diez minutos. → ....
3. Pase, pase... Señor González, tome dos pastillas cada ocho horas y descanse en la cama. Haga reposo absoluto y mantenga la pierna en alto. Nos vemos dentro de quince días. Pida hora a la enfermera en el mostrador y cuídese. → ....
4. Cómete la fruta y el yogur y después vete a la cama, cariño, que mañana hay que ir al colegio. ¡Ah!, y lávate los dientes antes de acostarte, ¿vale? → ....
5. ¡Vamos! ¡Corred!, entremos y cojamos asiento que la película empieza ya. Compra palomitas y refrescos, Dani, por favor. → ....
6. Baje del coche inmediatamente y enséñeme el carné de conducir. → ....

>| 5 | Vas a oír una noticia y un debate posterior en relación a la obesidad infantil. Escucha la audición y, en una segunda escucha, lee la transcripción del debate fijándote bien en la entonación. Subraya todas las estructuras que expresan negación.

| 25 |

Presentador: Buenos días, colaboradores del debate de hoy. Comenzamos con la intervención de la señora Martínez. Adelante...

Isabel Martínez: Hola, buenos días, encantada de estar aquí. Yo soy informática y madre de tres hijos, y creo que el problema se puede solucionar prohibiendo la venta de alimentos altos en grasas saturadas en todos los comercios.

Juan Pérez: ¡Ni hablar! Perdón por la interrupción tan brusca. Mi nombre es Juan Pérez. Nosotros tenemos un comercio familiar y no estoy para nada de acuerdo con la señora Martínez. El cliente adulto debe seleccionar y orientar al niño, y tiene que tener oferta, variedad y libertad a la hora de elegir.

Teresa de León: Buenos días. Soy Teresa de León y, como experta, pienso que lo que hay que hacer es concienciar al consumidor sobre los beneficios de la dieta mediterránea. Todo es bueno si no se abusa.

Dr. Muñoz: Buenos días, soy el doctor Muñoz... Vamos a ver... El consumo de grasas ha aumentado debido a los cambios en la forma de alimentarnos y al consumo de alimentos fritos y de comida rápida. Opino que la falta de tiempo y el ritmo de vida que llevan los padres es la causa del aumento de la obesidad infantil.

Isabel Martínez: ¡Bueno, bueno! No lo creo. ¡Que no, que no! ¡Que no somos los padres los responsables de todo lo que les pasa a nuestros hijos!

Julio Alcántara: ¿Pero qué dice usted...? Soy Julio Alcántara, padre de una niña de diez años. Estoy muy de acuerdo con el médico y la experta. Opino que muchas madres están muy ocupadas con el trabajo y les dan un bollo a los niños y los ponen a ver la televisión o a jugar en el ordenador. Creo que la mujer debe quedarse en casa, preparar comidas como las de antes y encargarse de su educación.

Isabel Martínez: ¡Que no! ¿Pero qué dice? ¿En qué siglo vive usted? Las mujeres de hoy tenemos el derecho y la obligación de trabajar fuera de casa y la educación de nuestros hijos es responsabilidad de padres y madres. ¡Ni hablar! ¡No quiero ni oír tonterías como esta!

Álvaro Díaz: Tiene razón, Isabel, la responsabilidad ha de ser compartida. Perdón, no me he presentado: soy Álvaro Díaz. Yo estoy totalmente de acuerdo con los expertos en alimentación, pero recordemos que los niños deben jugar, hacer gimnasia, correr, ir en bicicleta y no estar en el sofá con los videojuegos o ver la tele todo el día. Pienso que la dieta mediterránea es perfecta si se acompaña de un poco de ejercicio diario.

>| 6 | Lee el diálogo de nuevo, y subraya las estructuras que expresan negación.

>| 7 | Clasifica las expresiones que has subrayado según el grado de intensidad que expresan.

Hay que tener en cuenta que...

El grado de intensidad de una expresión de negación depende de la entonación que le dé el hablante; por lo tanto, algunas expresiones pertenecerán al grupo negación fuerte pero también pueden formar parte de la doble negación.

Negación neutra o débil: ....

Negación fuerte: *¡Ni hablar!* ....

Doble negación: ....

>| 8 | En el debate que se realiza tras dar la noticia vemos diferentes posturas de las personas que participan. Responde a las preguntas.

1. ¿Quién está de acuerdo con quién? *Julio, el padre, está de acuerdo con el médico y la nutricionista. El dietista especializado en alimentación deportiva, Álvaro, está también de acuerdo con los expertos y con Isabel.*
2. ¿Quién está en desacuerdo con quién? ....
3. ¿Qué consejo aporta el dietista especializado en alimentación deportiva? ....
4. ¿Qué nos ha llevado a esta situación según el doctor Muñoz? ....
5. ¿Cuál es la opinión de la nutricionista? ....
6. ¿Qué solución da Isabel Martínez al comienzo del debate? ....

>| 9 | SESEO. Subraya las sílabas que pronunciarían de manera diferente Toño, de Burgos y Betina, de Uruguay.

Zamora	cigarra	Acacia	sensación	silencio
serpiente	razón	Asunción	cerveza	socorro
zumo	cerezas	zorro	sanción	sensible

PRUEBA DE COMPRENSIÓN DE LECTURA

10 Usted va a leer unos anuncios de libros. Debe relacionar los anuncios (A-J) con los textos (1-6). Hay cuatro anuncios que no debe seleccionar.

A ***¡Deja de fumar ya!***
Millones de ejemplares vendidos de esta guía práctica demuestra que puedes dejar de fumar sin esfuerzo.
Promoción: 11,90 euros.

B ***El secreto de los árboles del bosque.***
El libro de dibujos animados que entusiasmará a los niños este verano.
Contiene CD con canciones.
Precio: 15 euros.

C ***Licuados y zumos naturales.***
Preparará los mejores zumos, batidos y licuados de una manera fácil y divertida. Con DVD.
Precio: 29 euros.

D ***La dieta perfecta.***
Consigue perder unos kilos antes del verano. Éxito asegurado sin el menor esfuerzo.
Precio: 16,15 euros.

E ***Libro electrónico (E-book).***
Oferta de lanzamiento de este cómodo y ligero libro electrónico. Para que leer no te pese.
Precio de promoción: 100 euros.

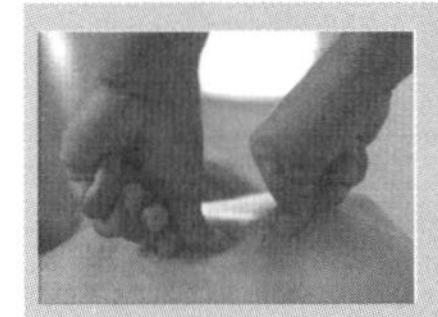

F ***Masaje Tuina.***
Conoce los puntos energéticos de tu cuerpo y conseguirás una relajación total. Contiene CD.
Precio: 23,50 euros.

G ***Maquillaje profesional.***
Descubre todos los secretos de los grandes estilistas con este DVD. Te enseña paso a paso cómo realzar tus rasgos de belleza.
Precio: 45 euros.

H ***La fotografía de la naturaleza.***
Una guía fotográfica imprescindible para conocer los paisajes naturales más impresionantes de la Tierra. El libro que siempre quiso tener. Dos tomos.
Precios: 150 euros.

I ***Ortografía de la Lengua Española.***
Libro de consulta imprescindible. Obra didáctica de fácil manejo. Para que no dudes más en tu ortografía.
Precio: 14 euros.

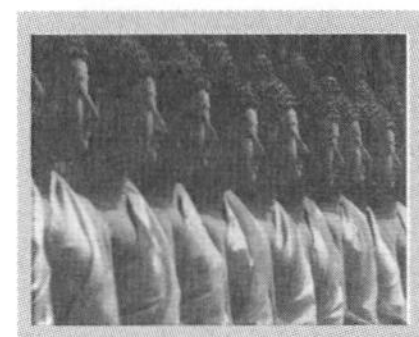

J ***Turismo exótico.***
Tailandia. Contiene toda la información práctica que necesita conocer del país y, además, todos los detalles sobre su historia, gastronomía, cultura y arte.
Precio: 32 euros.

1. *Busco un libro para mi sobrino. Un cómic con dibujos divertidos.*

2. *Mi marido ha engordado unos kilos este invierno, le voy a comprar un libro con consejos, a ver si adelgaza.*

3. *Me encanta leer en el metro, pero me pesan mucho los libros en el bolso, no sé qué hacer.*

4. *Para este verano quiero comprarme un libro con alternativas a las bebidas con gas.*

5. *Este año nos vamos a un país asiático. Quiero hacer este viaje desde hace años y así celebramos nuestro aniversario de boda.*

6. *Necesito un libro que explique las normas para escribir correctamente. Tengo muchas dudas y mis hijos también lo necesitan como libro de consulta.*

1 .... ☐ **2** .... ☐

3 .... ☐ **4** .... ☐

5 .... ☐ **6** .... ☐

PRUEBA DE COMPRENSIÓN AUDITIVA

>|11| |26| A continuación escuchará cinco diálogos breves entre dos personas. Oirá cada diálogo dos veces. Después de la segunda audición marque la opción correcta (A, B, C o D).

1 ¿Están de acuerdo?

○ **a.**

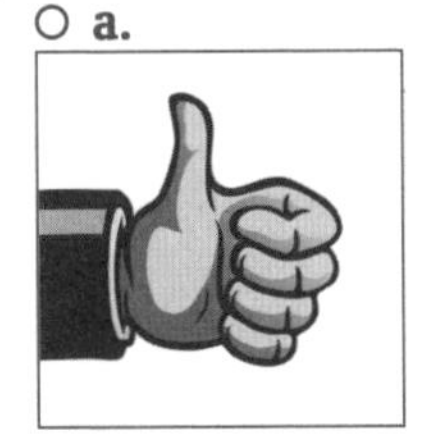

○ **b.**

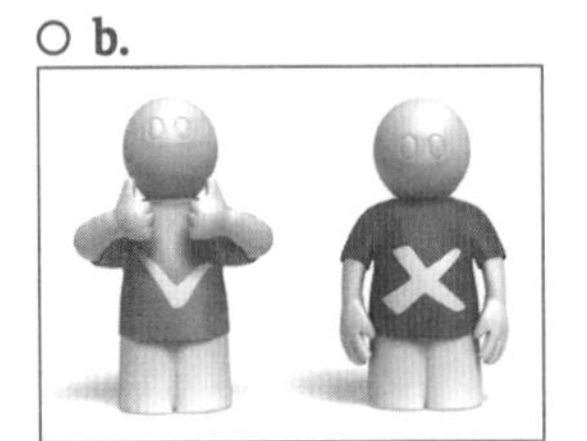

○ **c.**

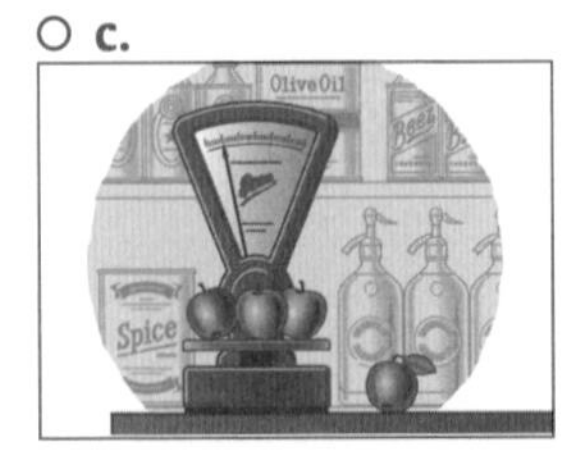

○ **d.**

2 ¿Qué hace el niño?

○ **a.**

○ **b.**

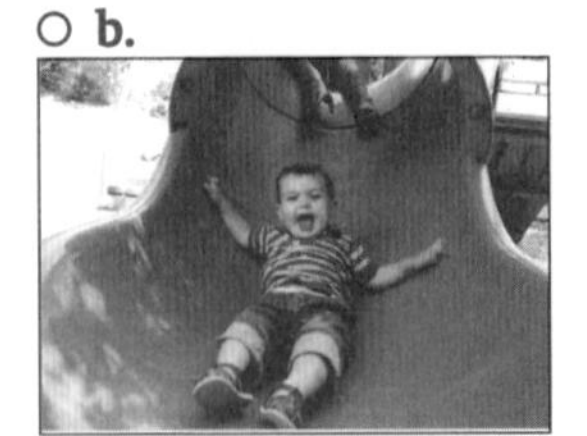

○ **c.**

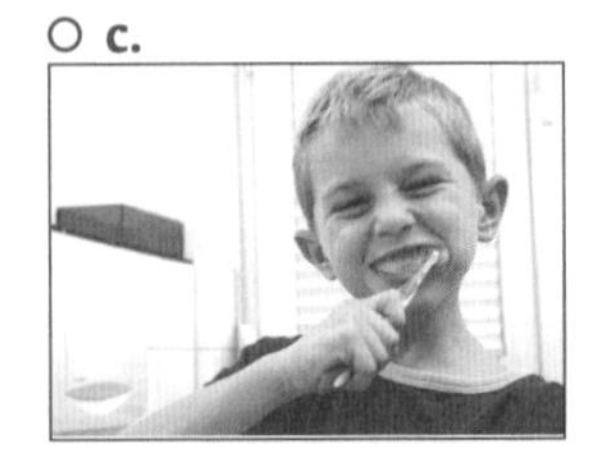

○ **d.**

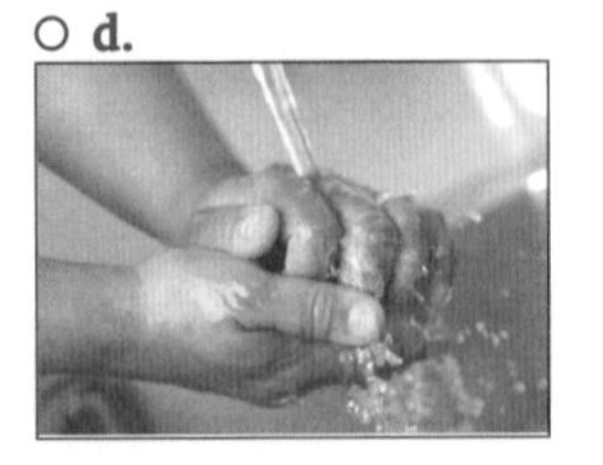

3 ¿Qué día es?

○ **a.**

○ **b.**

○ **c.**

○ **d.**

4 ¿Cuántos van al cine?

○ **a.**

○ **b.**

○ **c.**

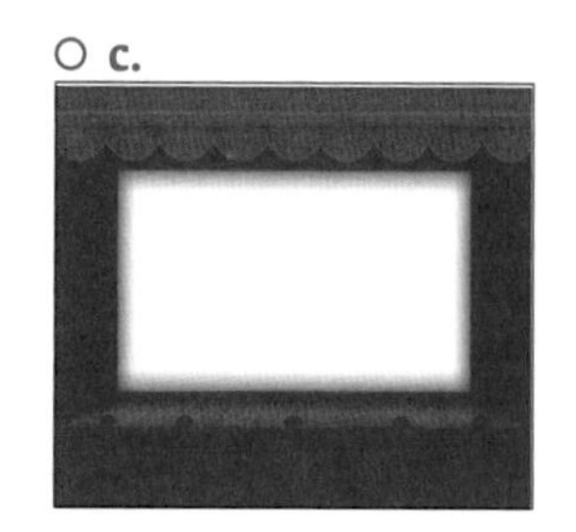

○ **d.**

5 ¿Qué consejos le da Ana a su amiga Mónica?

○ **a.**

○ **b.**

○ **c.**

○ **d.**

PRUEBA DE EXPRESIÓN E INTERACCIÓN ESCRITAS

>|12| Usted debe hacer un cartel publicitario sobre este producto siguiendo esta estructura:

- un titular (en letra mayúscula);
- un subtítulo (en minúscula);
- un breve texto.

El texto debe contener:

- 5 verbos en imperativo (mínimo) para seducir al cliente;
- explicar las razones por las que debe adquirir este innovador electrodoméstico;
- adjuntar el precio de salida de su venta (oferta económica);
- indicar dónde pueden conseguir el producto.

Número de palabras: entre 30 y 40 palabras.

....

....

....

....

....

....

PRUEBA DE EXPRESIÓN E INTERACCIÓN ORALES

>|13| Diálogos basados en láminas (ver anexo imágenes, página 124).

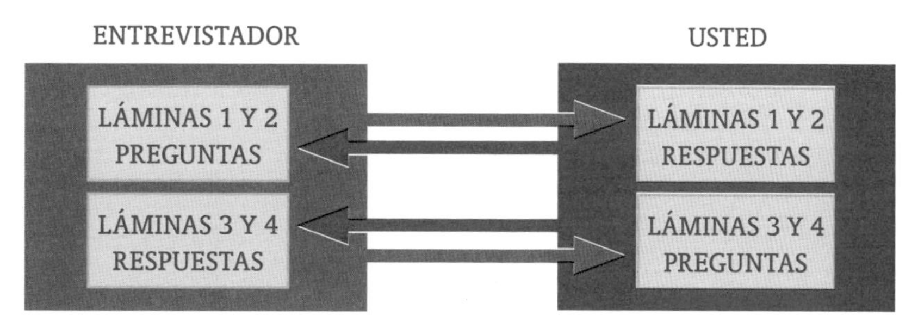

11 YA HEMOS LLEGADO

>| **1** | Conjuga el presente del verbo *haber*.

	HABER
Yo	....
Tú	....
Él/ella/usted	....
Nosotros/as	....
Vosotros/as	....
Ellos/ellas/ustedes	....

>| **2** | Completa la conjugación del pretérito perfecto de indicativo regular.

	TRABAJAR	*COMER*	*SALIR*
Yo	*he trabajado*	*he*	....
Tú	*has trabajado*	....	*has salido*
Él/ella/usted	....	*ha*	*ha salido*
Nosotros/as	*hemos*	....	....
Vosotros/as	....	*habéis*	....
Ellos/ellas/ustedes	*han*	*han*	....

>| **3** | Completa este cuadro sobre las características formales del pretérito perfecto.

El pretérito perfecto es un tiempo verbal del pasado que se forma con el verbo auxiliar **(1)**................. *(he,* **(2)**.................,**(3)**.................,**(4)**.................,**(5)**.................,**(6)**................. *)* y el participio del verbo principal. Los verbos que terminan en *–ar* hacen el participio en **(7)**................. y los verbos que terminan en *–er* e *–ir* hacen el participio en **(8)**..................

>| **4** | Relaciona estos verbos con sus participios.

1. romper .... *
2. ver .... *
3. decir .... *
4. hacer .... *
5. poner .... *
6. abrir .... *
7. volver .... *
8. escribir .... *
9. morir .... *

- * a. roto
- * b. hecho
- * c. visto
- * d. vuelto
- * e. puesto
- * f. muerto
- * g. abierto
- * h. dicho
- * i. escrito

>| **5** | Escucha y marca las dos imágenes que corresponden al relato.
| 27 |

>| **6** | Ahora, escribe una frase para las cuatro imágenes de la actividad anterior que no has seleccionado. Debes utilizar el pretérito perfecto.

1. Imagen ☐ ....

2. Imagen ☐ ....

3. Imagen ☐ ....

4. Imagen ☐ ....

>| **7** | Escucha de nuevo el audio. Reflexiona sobre el sentido temporal del texto y marca la opción correcta.
| 27 |

El pretérito perfecto es un tiempo **(1) simple/compuesto** que se usa para hablar de acciones **(2) terminadas/ no terminadas** en un periodo de tiempo **(3) presente/pasado**. El pretérito perfecto aparece acompañado por expresiones de tiempo como **(4)** ***hoy, esta semana, este año, últimamente/ayer, la semana pasada, hace dos años, antes...***

>| **8** | Escribe las preguntas y responde con los marcadores *ya* o *todavía no*. Sigue el modelo.

Ejemplo: ***Escribir/tú*** *una carta al director.* ➔ *¿Has escrito la carta al director?*
Sí, ya. ➔ *Sí, ya la he escrito.*

1. Hablar/Julia con él. ➔ ....

No, todavía no ➔ ....

2. Ver/usted al jefe del departamento. ➔ ....

No, todavía no ➔ ....

3. Estar/vosotros en la agencia de viajes. ➔ ....

Sí, ya ➔ ....

CONTINÚA »

4. **Abrir/él** la puerta principal. → ....
No, todavía no → ....

5. **Escribir/ellos** la crónica deportiva. → ....
Sí, ya → ....

6. **Ir/tú** últimamente al cine. → ....
Sí, ya, dos veces esta semana → ....

7. **Decir/ellas** alguna cosa. → ....
No, todavía no, nada → ....

8. **Comentar/en el telediario de las 15:00h** la noticia. → ....
No, en el telediario de las 15:00h todavía no → ....

9. **Poner/Juan** la tele. → ....
Sí, ya → ....

10. **Leer/vosotros** el periódico hoy. → ....
No, todavía no → ....

>| 9 | Completa el texto con las formas verbales entre paréntesis en pretérito perfecto.

¡Hoy ha sido un sábado...!

Esta mañana **(levantarse, yo) (1)** .... sobre las ocho horas. Lo primero que **(hacer, yo) (2)** .... : darme una ducha. Después de la ducha **(desayunar, yo) (3)** .... Me encanta desayunar tranquila los sábados. A las nueve me **(llamar) (4)** .... Marga, una amiga. **(Quedar, nosotras) (5)** .... para tomar un café a las diez, en el bar de la playa. Marga y yo **(hablar) (6)** .... un buen rato y nos **(despedir, nosotras) (7)** .... hasta la noche, que vamos al teatro. A las doce **(ir, yo) (8)** .... al mercado a hacer la compra. **(Comprar, yo) (9)** .... un poco de pescado, verdura y jamón. A la una **(ver, yo) (10)** .... a Carlos y a su hermano Alfonso y **(tomar, nosotros) (11)** .... el aperitivo juntos. **(Volver, yo) (12)** .... a casa sobre las dos, **(hacer, yo) (13)** .... la comida y después, el mayor placer del mundo: me **(echar, yo) (14)** .... la siesta, ¡hasta las cinco! A las ocho **(salir, yo) (15)** .... de casa otra vez. Marga y yo **(quedar) (16)** .... en la puerta del teatro para sacar las entradas de la obra *La casa de Bernarda Alba*. Antes de entrar **(cenar, nosotras) (17)** .... en un restaurante italiano. La obra **(estar) (18)** .... bien, aunque ha sido un poco larga. A las dos de la madrugada me **(meter) (19)** .... en la cama.

>| 10 | Siguiendo el modelo de la actividad anterior, escribe qué has hecho el último sábado.

Este sábado... ....
....
....
....
....
....
....

>|**11**| Lee esta noticia y di si las afirmaciones son verdaderas o falsas.

Reportajes | Entrevistas | Fotos | Especiales | Última hora

DESCUBIERTA LA PÍLDORA DE LA JUVENTUD ETERNA

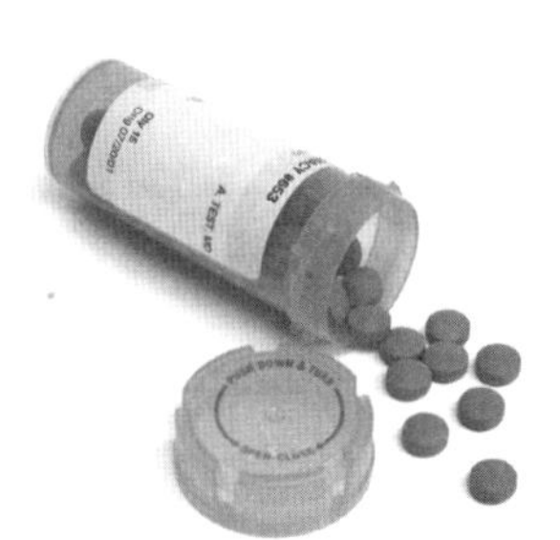

Se vende en farmacias y su precio es bajo. Esta mañana **cientos** de personas han hecho cola en **las puertas** de las farmacias para **comprar** la **nueva** Piljoven. Se trata de un **comprimido** que se toma en ayunas, es decir, antes de la primera comida del día, y otro a última hora, antes de **acostarse**. El resultado se empieza a notar después de cuatro semanas de **utilización**; los expertos dicen que **han comprobado** sus sorprendentes y **rápidos** efectos en animales, y después en algunas personas, que han quedado muy **satisfechas**. Por el momento no se han producido **efectos secundarios**. Un consumidor habitual de estas pastillas **ha declarado**: "He notado los resultados **progresivamente**: en primer lugar, las arrugas de la cara me **han disminuido**; en segundo lugar, me ha proporcionado **elasticidad** en el cuerpo, y en tercer lugar, ha aparecido una sensación de **energía y vitalidad**, en definitiva, **juventud**. Estoy muy **contento** y me siento como un **niño**...". Farmacéuticos e investigadores creen que va a ser el mayor descubrimiento del siglo XXI y que millones de personas en el mundo van a consumir esta píldora.

	V	F
1. La píldora de la juventud se ha probado en muchas personas antes de salir al mercado.	○	○
2. Aún no se han descubierto los efectos secundarios que puede tener esta píldora.	○	○
3. Se distribuye en farmacias y supermercados.	○	○
4. Ha sido testada en animales y personas.	○	○
5. Ya se considera el mayor descubrimiento del siglo XXI.	○	○
6. Aporta, a quien la toma, energía y vitalidad.	○	○
7. Muchas personas quieren comprarla pero tienen miedo.	○	○
8. Se debe tomar dos comprimidos al día.	○	○
9. Los resultados se ven a las cinco o seis semanas.	○	○

>|**12**| Fíjate en las palabras resaltadas en negrita en el texto. Clasifícalas en su lugar correspondiente según sean antónimos o sinónimos de las pabras propuestas.

ANTÓNIMOS DE:	SINÓNIMOS DE:
adulto ➔	pastilla ➔ ....
lentos ➔	uso ➔ ....
vejez ➔	movilidad ➔ ....
levantarse ➔	ha dicho ➔ ....
cansancio ➔	han testado ➔ ....
han aumentado ➔	muchos/as ➔ ....
vender ➔	complacidas ➔ ....
vieja ➔	se comercializa ➔ ....
inmediatamente ➔	la entrada ➔ ....
triste ➔	consecuencias negativas ➔ ....

ACTIVIDADES POR DESTREZAS

PRUEBA DE COMPRENSIÓN DE LECTURA

>13 Observe la agenda semanal de Ricardo. Hoy es miércoles por la noche. Complete las frases que aparecen a continuación con la información del texto.

<table>
<tr><th></th><th>Lunes</th><th>Martes</th><th>Miércoles</th><th>Jueves</th><th>Viernes</th><th>Sábado</th><th>Domingo</th></tr>
<tr><td>10:00</td><td rowspan="3">Reunión con jefes de departamento</td><td>Visita Sr. Ruiz</td><td colspan="2" rowspan="8">Viaje a Bruselas</td><td rowspan="3">Reunión para hablar del viaje a Bruselas y sus resultados</td><td></td><td rowspan="13">Excursión a Segovia</td></tr>
<tr><td>11:00</td><td></td><td rowspan="3">Partido de tenis con Ismael</td></tr>
<tr><td>12:00</td><td rowspan="2">Reunión con director general</td></tr>
<tr><td>13:00</td><td></td><td></td></tr>
<tr><td>14:00</td><td rowspan="2">Comida con Marisa</td><td></td><td></td><td></td></tr>
<tr><td>15:00</td><td rowspan="2">Comida con director general</td><td rowspan="2">Comida con jefes de departamento</td><td rowspan="4">Comida en casa de los abuelos</td></tr>
<tr><td>16:00</td><td></td></tr>
<tr><td>17:00</td><td>Ir al dentista</td><td></td><td></td></tr>
<tr><td>18:00</td><td></td><td>Recoger a David del colegio</td><td rowspan="5"></td><td>Regreso a Madrid</td><td rowspan="2">Compras con Marisa</td></tr>
<tr><td>19:00</td><td></td><td></td><td></td><td></td></tr>
<tr><td>20:00</td><td>Gimnasio</td><td rowspan="2">Hacer la compra</td><td></td><td>Gimnasio</td><td></td></tr>
<tr><td>21:00</td><td></td><td rowspan="2">Cena con la familia</td><td></td><td rowspan="2">Fútbol Barça-Madrid en casa de Julia</td></tr>
<tr><td>22:00</td><td></td><td>Cena con Adrián en casa</td><td>Cine con Marisa</td></tr>
</table>

1. Ricardo va **(1)** .... al gimnasio.

2. Ya **(2)** .... al dentista.

3. Todavía no **(3)** .... el partido Barça-Madrid.

4. Este martes **(4)** .... con Adrián en su casa.

5. El domingo va **(5)** .... a Segovia.

6. Ya **(6)** .... dos reuniones de trabajo y el **(7)** .... tendrá otra.

PRUEBA DE COMPRENSIÓN AUDITIVA

>|14| |28| A continuación escuchará seis avisos o instrucciones. Oirá cada intervención dos veces. Relacione los textos con las imágenes. Después de la segunda audición, marque la opción correcta. Hay tres letras que no debe seleccionar.

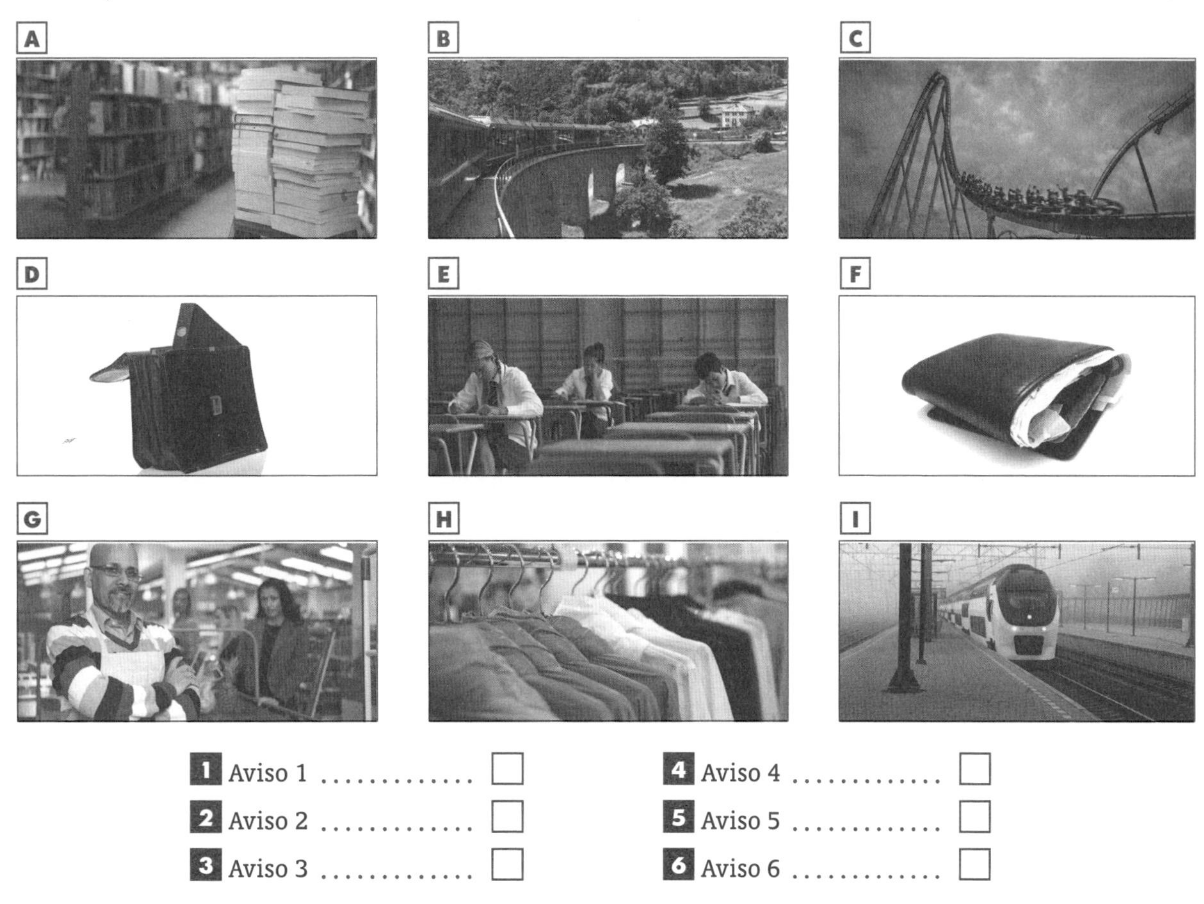

1 Aviso 1 .... ☐
2 Aviso 2 .... ☐
3 Aviso 3 .... ☐
4 Aviso 4 .... ☐
5 Aviso 5 .... ☐
6 Aviso 6 .... ☐

PRUEBA DE EXPRESIÓN E INTERACCIÓN ESCRITAS

>|15| Escriba un correo electrónico a un amigo contándole algo importante que le ha sucedido esta semana. En él debe:

- saludar;
- contar el suceso;
- despedirse.

Número de palabras: 50.

PRUEBA DE EXPRESIÓN E INTERACCIÓN ORALES

>|16| Hable durante 2 o 3 minutos de lo que ha hecho esta semana y de lo que aún le queda por hacer. Puede hablar sobre los siguientes aspectos:

12 VIAJA CON NOSOTROS

>| 1 | El Camino de Santiago. Estos son algunos objetos imprescindibles para hacer el Camino de Santiago. Relaciona los objetos con una palabra. Hay dos palabras que sobran.

1. botas	**3.** peregrino	**5.** impermeable	**7.** gorro
2. bastón	**4.** mochila	**6.** linterna	**8.** gafas

A 

B 

C

D 

E 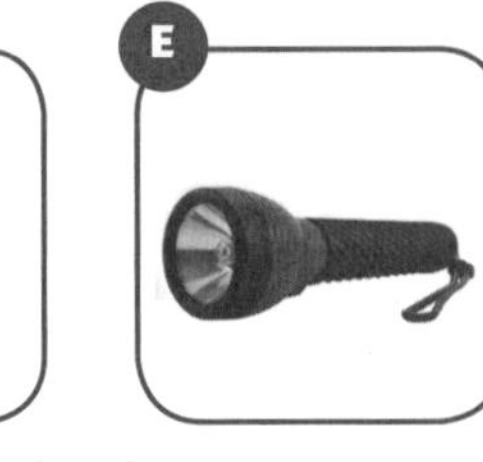

F 

>| 2 | Escucha lo que cuenta este chico sobre su viaje por el Camino de Santiago y responde a las preguntas. |29|

Ejemplo: *¿Qué día empezaron el Camino de Santiago?* *Empezaron el Camino el día 21 de abril.*

1. ¿Cuántos kilómetros hay desde Roncesvalles a Santiago de Compostela? ....
2. ¿Cuántos kilómetros recorrieron el primer día? ....
3. ¿En qué etapa se comieron el bocadillo de chistorra? ....
4. ¿Qué día llegaron a Pamplona? ....
5. ¿Cómo es el paisaje que encontraron? ....
....
6. ¿Llovió? ....
7. ¿Piensan continuar el Camino el próximo mes? ....
8. ¿Cuál ha sido la experiencia del grupo? ....
9. ¿Te apetece hacerlo algún día? ....

>| 3 | Completa la conjugación de estos verbos con las formas que faltan en pretérito indefinido.

	BAILAR	*BEBER*	*VIVIR*
Yo		*bebí*	
Tú	*bailaste*		
Él/ella/usted			*vivió*
Nosotros/as		*bebimos*	
Vosotros/as	*bailasteis*		
Ellos/ellas/ustedes			*vivieron*

>| 4 | Escribe las formas verbales de *ser/ir, dar, estar, tener* y *hacer* en pretérito indefinido.

	SER/IR	DAR	ESTAR	TENER	HACER
Yo	....	....	....	....	....
Tú	....	....	....	....	....
Él/ella/usted	....	....	....	....	....
Nosotros/as	....	....	....	....	....
Vosotros/as	....	....	....	....	....
Ellos/ellas/ustedes	....	....	....	....	....

>| 5 | Salvador Dalí

Aquí tienes algunos datos sobre la vida de Dalí. Léelos con atención y después subraya los tiempos del pretérito indefinido que encuentres escribiendo al lado de cada frase su correspondiente infinitivo.

1. Fue conocido principalmente como pintor y bailarín. ....

2. Nació en Valencia. ....

3. Tuvo tres hijos. ....

4. Construyó la catedral de La Sagrada Familia en Barcelona. ....

5. Viajó a Nueva York y vivió allí durante ocho años. ....

6. Se enamoró de Gala, una mujer mucho mayor que él, que fue su musa e inspiración. ....

>| 6 | Ahora encuentra tres datos falsos (sin contar el ejemplo) en la biografía. Puedes buscar información en Internet si tienes alguna duda.

Ejemplo: *Dalí no fue conocido como bailarín sino como pintor y artista.*

1. ....

2. ....

3. ....

>| 7 | Completa con *muy, mucho/a/os/as* las siguientes frases.

1. En el País Vasco llueve ....

2. Hace .... viento en la Costa Brava.

3. En el interior hace .... frío durante el invierno.

4. Este año ha habido .... nieve en los Pirineos.

5. En Canarias hace .... buen tiempo todo el año.

6. El año pasado hubo .... tormentas en otoño.

7. Ayer hizo .... mal tiempo en Santiago de Compostela.

8. Me gusta .... el calor.

9. En verano, la temperatura es .... alta en Madrid.

10. Me dan .... miedo los truenos.

>| 8 | Lee el texto sobre la previsión del tiempo para mañana y dibuja estos símbolos meteorológicos en el mapa.

Cielo parcialmente nuboso en Asturias, Cantabria y el País Vasco. En Galicia lluvia abundante todo el día. Castilla y León, La Rioja y Navarra lluvias ocasionales, pero será un día con mucho viento. En el Pirineo aragonés bajan las temperaturas y nieva en cotas altas. Toda la costa mediterránea con sol y temperaturas suaves. En Madrid, Extremadura y Andalucía, riesgo de tormentas. En Canarias y Baleares tiempo estable y soleado. Tiempo primaveral muy variable en todo el país.

>| 9 | Lee con atención el siguiente folleto sobre la isla de Tenerife en las Islas Canarias.

TENERIFE: LA ISLA DE LA ETERNA PRIMAVERA

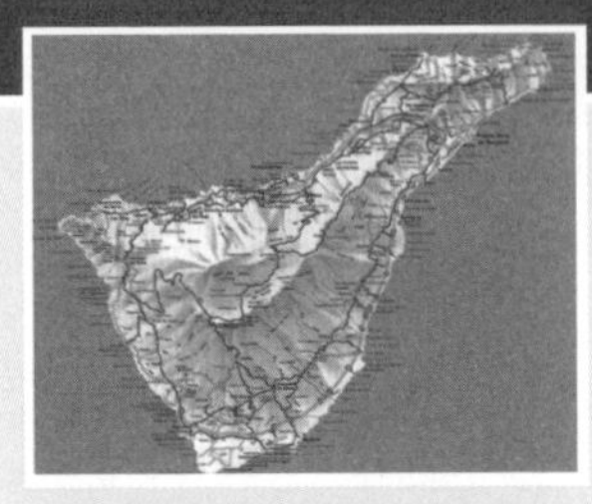

Tenerife es una isla de contrastes que destaca por desarrollarse físicamente alrededor del gran volcán de El Teide y la cadena montañosa que la recorre de este a oeste. La isla mantiene cambios bruscos de altitud y temperatura y un clima cambiante y diverso. En el norte hace un poco más de frío y llueve más a menudo; en cambio, el sur es muy soleado y hace siempre bastante calor.

Sin embargo, por lo general se establece una tranquilidad climática que mantiene temperaturas medias de más de 20 y menos de 30 grados centígrados durante todo el año. A este buen tiempo contribuyen, en gran medida, los vientos dominantes, los alisios, que suavizan la dureza climática del desierto cercano, el Sahara. Las aguas de las costas y playas tinerfeñas gozan siempre de unas magníficas temperaturas.

En cuanto a las fiestas, la que más interés internacional despierta es el Carnaval de Tenerife, sin menospreciar el de otras ciudades como Puerto de la Cruz y Arona. Otra de las fiestas que más llama la atención son las tradicionales romerías y sus bailes en distintos lugares (destacan Santa Cruz, La Laguna, Garachico, La Orotava y Tegueste entre otras). Semana Santa y Corpus Cristi se viven con especial devoción en La Laguna y La Orotava.

Y por último, la gastronomía. En Tenerife puedes disfrutar de los mejores platos tradicionales: gofio, pescados o papas. El plátano es uno de los grandes recursos agrarios de la isla. Los campos tinerfeños gozan, además, de una amplia gama de frutas tropicales y subtropicales como el aguacate, el mango, la papaya, la piña, la chirimoya, la guayaba, etc.

>|10|

|30| Escucha esta conversación telefónica entre dos vecinas en relación al viaje que hizo una de ellas a las Islas Canarias. Contrasta la información del folleto publicitario de la isla de Tenerife con la conversación que mantienen estas dos señoras acerca del viaje. Anota las diferencias que encuentres entre los datos de la conversación y de la publicidad. Ayuda: hay más de tres diferencias.

Ejemplo: *En Tenerife la temperatura siempre está entre los 20 y los 30 grados pero Inma dice que siempre están a 35 grados, por lo menos.*

1. ....

2. ....

3. ....

4. ....

5. ....

>|11|

Busca en esta sopa de letras los nombres de los doce meses del año y de las cuatro estaciones. Recuerda que pueden encontrarse en cualquier posición.

A	L	T	I	L	J	M	P	I	N	V	I	E	R	N	O	B
B	G	R	A	M	B	U	P	Ñ	S	D	C	A	S	X	U	Q
R	I	O	J	U	M	K	L	D	U	F	E	G	W	Y	A	D
I	B	A	S	B	A	S	O	I	F	R	N	E	Z	P	O	I
L	A	B	A	T	C	I	P	V	O	M	E	S	D	R	I	C
H	L	O	T	I	O	T	O	Ñ	O	B	R	S	C	I	X	I
O	F	B	L	Q	U	I	N	I	E	L	O	E	T	M	I	E
V	I	E	M	O	C	T	U	B	R	E	S	P	R	A	B	M
N	T	O	B	U	C	O	J	I	B	I	M	T	A	V	U	B
S	O	F	I	R	A	T	U	M	I	A	S	I	T	E	I	R
M	E	V	O	R	E	O	N	U	R	O	B	E	Z	R	L	E
L	T	M	I	A	H	R	I	Z	J	M	L	M	C	A	E	M
Y	A	T	A	E	C	I	O	M	U	Z	I	B	E	G	O	B
T	R	A	U	Y	M	B	E	R	O	X	A	R	C	U	A	R
L	O	K	O	T	O	B	R	I	S	I	M	E	L	O	N	E
P	A	R	G	U	A	Y	R	A	V	E	R	A	N	O	C	S
E	L	O	I	S	E	N	D	E	O	F	E	R	I	A	D	O

>|12|

Aquí tienes dos pares de palabras que se parecen mucho pero que tienen un significado totalmente distinto. Subraya la palabra definida. Puedes usar el diccionario.

1. Cabello blanco que sale con la edad .... → **caña** / *cana*

2. Pelo recogido .... → **mono / moño**

3. Sinónimo de tristeza .... → **peña / pena**

4. 3.ª persona singular del presente de indicativo del verbo *sonar* .... → **sueña / suena**

PRUEBA DE COMPRENSIÓN DE LECTURA

> 13 Va a leer la publicidad de una agencia de viajes. Complete las frases que están a continuación con la información del texto.

El viaje de tus sueños

Precio: **879 €**.
(Avión + hotel + comida).
Duración: 5 días, 4 noches.
Salidas: lunes, miércoles y viernes desde Barcelona.
Todo incluido.

SITGES,
CASA RURAL CERCA DEL MAR

Duración: se alquila por semanas.
Precio: **1000** euros temporada alta,
800 temporada baja.
Plazas: siete plazas de adulto y dos de niño.
Totalmente equipada.

1. Para viajar a Nueva York tiene que ser los días **(1)**........................, **(2)**........................ y **(3)**........................
2. El viaje más barato es a **(4)**........................
3. Si solo tienes una semana de vacaciones, puedes ir a **(5)**........................
4. Si tus vacaciones son en enero, puedes pagar menos si vas a **(6)**........................
5. El viaje a Tenerife tiene que ser los meses **(7)**........................ y **(8)**........................
6. El único viaje donde está todo incluido es el viaje a **(9)**........................

PRUEBA DE COMPRENSIÓN AUDITIVA

> 14 [31] Va a escuchar a Aurora hablando sobre una ciudad, Pamplona. Complete las frases con la información que falta. Escuchará la audición tres veces.

1. Pamplona es una ciudad bonita y **(1)**........................ de encanto.
2. Pamplona pertenece a la **(2)**........................ de Navarra.
3. El clima es agradable y abundan las **(3)**........................
4. Hay mucha gente **(4)**........................ y buen **(5)**........................
5. Es una ciudad con muchas zonas verdes y amplios **(6)**........................
6. La plaza del Castillo está en el centro de **(7)**........................
7. Por la calle Estafeta corren **(8)**........................
8. La fiesta más importante de Pamplona son **(9)**........................

PRUEBA DE EXPRESIÓN E INTERACCIÓN ESCRITAS

>15 Usted quiere entrar en un sorteo para un viaje a las Islas Canarias y debe rellenar este formulario para participar en él.

Nombre: .... Apellido(s): ....

Lugar de nacimiento: .... Fecha de nacimiento: Día .... / Mes .... / Año ......

Nacionalidad: .... Pasaporte n.º: .... Teléfono: ....

Correo electrónico: ....

Dirección: .... Número: .... Piso: ....

Población: .... Ciudad: .... País: ....

Profesión: ....

¿Qué mes prefiere? ☐ Junio ☐ Julio ☐ Agosto ☐ Septiembre

¿Qué tipo de alojamiento desea? ☐ Hotel ☐ Hostal ☐ Casa Rural ☐ Otros

¿Cómo quiere viajar? ☐ En avión ☐ En barco (☐ Camerino ☐ Butaca)

¿Quiere alquilar un medio de transporte en la isla? ☐ Sí ☐ No

¿Ha estado en las Islas Canarias alguna vez? ☐ Sí ☐ No

¿Qué tipo de turismo va a hacer? ☐ Deportes de aventura ☐ Visitas guiadas ☐ Otros

¿Por qué está interesado en conocer o volver a las islas?

....

....

¿Qué conoce sobre la cultura y costumbres españolas y, en concreto, sobre nuestras islas?

....

....

....

Fecha y firma

PRUEBA DE EXPRESIÓN E INTERACCIÓN ORALES

>16 Usted mantendrá una conversación con el entrevistador de 3 minutos de duración sobre su mejor viaje o sus vacaciones preferidas. Deberá seguir las pautas que se le indiquen, respondiendo a las preguntas siguientes:

- dónde fue;
- con quién fue;
- cuánto duró el trayecto;
- qué visitó;
- qué lugares interesantes visitó;
- qué aprendió sobre la cultura, costumbres, gastronomía, horarios, etc. del lugar visitado;
- conoció a alguien interesante;
- cuánto tiempo duró su estancia;
- qué le gustó más y qué le gustó menos.

APÉNDICE GRAMATICAL

UNIDAD 1: ¿QUÉ TAL?

1. Pronombres personales

Pronombres personales sujeto		
	singular	**plural**
1.ª persona	yo	nosotros/nosotras
2.ª persona	tú	vosotros/vosotras
3.ª persona	él/ella/usted	ellos/ellas/ustedes

- Los pronombres personales sujeto tienen formas femeninas y masculinas, excepto en los pronombres *yo* y *tú*:
  - *(Javi y Alfredo)* ***Nosotros*** *somos catalanes.*
  - *(Inma y Ana)* ***Vosotras*** *sois de Salamanca.*
  - *(Juana y Belén)* ***Ellas*** *son amigas.*
  - *(Luis y Paco)* ***Ellos*** *son informáticos.*
- Si el sujeto incluye femenino y masculino, se usa la forma de masculino plural:
  —*(María y Diego)* ***Ellos*** *son estudiantes.*
- Los pronombres personales **formales** son ***usted*** y ***ustedes***. Estos pronombres no distinguen masculino y femenino:
  —***Usted*** *(Carmen) es* ***argentina***, *¿verdad?* —***Usted*** *(Pablo) es* ***mexicano***, *¿no?*
- En muchos países de Hispanoamérica se utiliza el pronombre *vos* en lugar de *tú*. En este caso, también cambia la forma verbal:
  —***Vos*** *te* ***llamás*** *Lucas, ¿verdad?*

2. Verbo *ser*: forma y usos

El verbo ***ser*** es un verbo **irregular**.

Ser			
Yo	**soy**	Nosotros/as	**somos**
Tú	**eres**	Vosotros/as	**sois**
Él/ella/usted	**es**	Ellos/ellas/ustedes	**son**

- Para **identificarse**: ***Ser*** + nombre:
  —***Soy*** *María José.*
  —*Ellos* ***son*** *Juanmi y Pepe.*
  —*Tú* ***eres*** *Estrella.*
- Para indicar la **nacionalidad** o el **origen**: ***Ser*** + origen/nacionalidad y ***Ser*** + ***de*** + país/lugar de origen:
  —***Eres*** *vasco.*
  —***Soy*** *italiano.*
  —***Soy*** *de Italia.*
  —***Somos*** *del País Vasco.*

3. Alfabeto

A, a a	**B, b** be	**C, c** ce	**D, d** de	**E, e** e	**F, f** efe	**G, g** ge	**H, h** hache	**I, i** i
J, j jota	**K, k** ka	**L, l** ele	**M, m** eme	**N, n** ene	**Ñ, ñ** eñe	**O, o** o	**P, p** pe	**Q, q** cu
R, r erre	**S, s** ese	**T, t** te	**U, u** u	**V, v** uve	**W, w** uve doble	**X, x** equis	**Y, y** i griega/ye	**Z, z** zeta

En español, el alfabeto se compone de **27 letras** y dos **dígrafos**: ***ch*** y ***ll***. Un dígrafo es un signo gráfico formado por dos letras que representan un único sonido.

4. Gentilicios

Los gentilicios son adjetivos que indican la **nacionalidad** o el **origen** de una persona o cosa:

—*Mi padre es de Madrid* → *Mi padre es* ***madrileño****.* —*La paella es de Valencia* → *La paella es* ***valenciana****.*

El género de los gentilicios
✗ La mayoría de los gentilicios terminan en *–o* en masculino y en *–a* en femenino: *mexicano/mexicana, polaco/polaca, griego/griega...*
✗ Algunos gentilicios terminan en *–és* en masculino y en *–esa* en femenino: *inglés/inglesa, danés/danesa, francés/francesa...*
✗ Otros gentilicios tienen su **propia forma**: *alemán/alemana, español/española, madrileño/madrileña...*
✗ Hay algunos gentilicios **invariables**: *estadounidense, belga, croata, iraquí...*

5. Saludos, presentaciones y despedidas

Saludos, presentaciones y despedidas	
✗ En el español peninsular, ***tú*** y ***vosotros/as*** son las formas que se usan para el tratamiento informal, para hablar con amigos y familia, y que ***usted*** y ***ustedes*** se usan para situaciones formales, para hablar con personas mayores o desconocidas.	
INFORMAL	**FORMAL**
Saludar y presentarse	
• ***Hola, ¿qué tal (estás)?*** • ***¿Cómo estás/estáis?*** • ***Y tú/vosotros, ¿qué tal?*** • *Hola,* ***soy/me llamo*** + nombre —*Hola,* ***somos*** *Carmen y Sebastián.*	• ***Buenos días,/Buenas tardes,/Buenas noches, ¿qué tal está usted?*** • ***¿Cómo está/están usted/ustedes?*** • *Buenas tardes,* ***soy/me llamo*** + nombre —*Buenos días,* ***soy*** *el doctor Arnau.*
Responder a una presentación	
• ***Hola, ¿qué tal? Yo soy*** + nombre —***Hola, ¿qué tal? Yo soy*** *Clara.*	• ***Encantado/a.*** • ***Mucho gusto.*** • ***¿Cómo está usted?***
Presentar a alguien	
• ***Mira, este (a/os/as) es (son)...*** —***Mira, esta es*** *Ana, mi amiga de Salamanca.* —***Estos son*** *mis amigos, Luis y Pedro.*	• ***Mire/n, este (a/os/as) es (son)...*** • ***Mire/n, le/s presento a*** + nombre: —***Miren, les presento a****l señor Ignacio Gómez, el director.*
Para despedirse	
• ***Adiós.***	• ***Hasta luego/pronto/mañana.***

6. Preguntas de clase

Recursos y estrategias para pedir ayuda en clase		
Pedir repetición, aclaración o confirmación	**Preguntar cómo se dice una palabra y cómo se deletrea**	
• ***¿Puedes repetir****, por favor?* • ***¡Más despacio/alto****, por favor!* • *Eres Francis,* ***¿verdad?/¿no?***	• ***¿Cómo se dice*** *en español "stress"?* • ***¿Puedes deletrear*** *tu nombre, por favor?*	• ***¿Cómo se deletrea?*** • ***¿Cómo se escribe*** *tu apellido?*

7. Abreviaturas

Abreviaturas de las fórmulas de tratamiento					
• **Sr.** → señor	• **Sres.** → señores	• **D.** → don	• **Vd./Ud.** → usted	• **Dr.** → doctor	• **Prof.** → profesor
• **Sra.** → señora	• **Sras.** → señoras	• **Dña.** → doña	• **Vds./Uds.** → ustedes	• **Dra.** → doctora	• **Profa.** → profesora

Las fórmulas de tratamiento pueden utilizarse abreviadas. En este caso se escriben con mayúscula inicial y terminadas en punto final. *Don* y *doña* se usan solo con el nombre y no tienen plural; *señor*, *señora*, *señores* y *señoras* se usan con el nombre y el apellido, o solo con el apellido:

—***Don*** *Pedro y* ***don*** *Carlos son los vecinos de Eduardo.* —*El* ***Sr.*** *Mariano Pérez y la* ***Sra.*** *Casado son de Salamanca.*

1. Artículo determinado

Artículo determinado		
	masculino	**femenino**
singular	**el** alumno	**la** alumna
plural	**los** alumnos	**las** alumnas

El artículo determinado ***el/la/los/las* concuerda** en **género** y **número** con el **nombre** al que acompaña, y sirve para identificar y hablar de un objeto o ser que ya conocemos o del que hemos hablado antes:

—En mi clase hay diez estudiantes. ***Los estudiantes*** *son simpáticos.*

—En mi casa hay cuatro habitaciones. ***Las habitaciones*** *son grandes.*

2. Género y número del sustantivo

El género

- Normalmente los nombres de personas y animales tienen **dos géneros, masculino** y **femenino**:
  el chico/la chica, el abuelo/la abuela, el gato/la gata, el oso/la osa...
- Los sustantivos referidos a cosas (objetos, conceptos, sentimientos, emociones...) solo tienen **un género**, masculino **o** femenino:
  la calculadora, el ordenador, la idea, la razón, la alegría, el dolor...
- Los sustantivos masculinos generalmente terminan en **–o**: *el disco, el pelo, el armario, el sombrero...*
  - Algunos sustantivos masculinos terminan en **–a**: ***el*** *problema,* ***el*** *día,* ***el*** *sistema,* ***el*** *aroma...*
  - Son masculinos los nombres de los **números** y de los **días de la semana:** *el cuatro, el diez, el lunes, el domingo...*
- Los sustantivos femeninos generalmente terminan en **–a, –dad, –ción**: *la cas**a**, la ciu**dad**, la na**ción**...*
  - Algunos sustantivos femeninos terminan en **–o**: ***la*** *radio,* ***la*** *mano,* ***la*** *moto...*
  - Son femeninos los nombres de las letras: *la a, la efe, la equis...*
- Hay nombres de persona y animal con **la misma forma** para masculino y femenino:
  el/la dentista; el/la estudiante, el/la atleta, el/la jirafa, el/la cocodrilo...
- Los sustantivos que terminan en **–e** pueden ser masculinos o femeninos: *el coche, la leche, el garaje, la clase...*
- Hay nombres de persona o animal que tienen **palabras diferentes** para designar el masculino y el femenino:
  el hombre/la mujer, el yerno/la nuera, el padre/la madre, el caballo/la yegua...

El número

- Cuando el sustantivo solo se refiere a un objeto o ser, el número es **singular**: *(una) señora, (un) libro, (un) árbol...*
- Cuando el sustantivo se refiere a más de un objeto o ser, el número es **plural**: *(dos) señoras, (tres) libros, (cuatro) árboles...*
- Los sustantivos terminados en **vocal** forman el plural con **–s**: *mapas, armarios, calles...*
- Los sustantivos terminados en **consonante** forman el plural con **–es**: *naciones, árboles, azules...*
- Los sustantivos terminados en –**z** forman el plural con **–ces**: *pez/peces, actriz/actrices...*
- Algunos sustantivos que terminan en **–s** tienen la misma forma para singular y plural: *el viernes/los viernes, el lunes/los lunes, la crisis/las crisis, el análisis/los análisis...* Pero: *autobús/autobuses, marqués/marqueses...*

3. Género y número del adjetivo

- El **adjetivo concuerda** en **género** y **número** con el **nombre** al que acompaña, y, por tanto, tiene variación de género y número:

*—El chico alt**o**.*	*—La chic**a** alt**a**.*	*—Los chic**os** alt**os**.*	*—Las chic**as** alt**as**.*
*—El gato negr**o**.*	*—La gat**a** negr**a**.*	*—Los gat**os** negr**os**.*	*—Las gat**as** negr**as**.*

- Hay algunos adjetivos **invariables** en cuanto al género: *feliz, amable, fácil, grande, verde, azul...*:

*—**Carmen** es **feliz**.*	*—**Luis** es **feliz**.*	*—**Las chicas** son **felices**.*	*—**Los chicos** son **felices**.*
*—**La casa** es **grande**.*	*—**El coche** es **grande**.*	*—**Las casas** son **grandes**.*	*—**Los coches** son **grandes**.*

4. Verbo *trabajar*

El verbo ***trabajar*** es un verbo **regular** de la primera conjugación (*–ar*). Recuerda sus terminaciones:

Trabajar			
Yo	trabajo	Nosotros/as	trabajamos
Tú	trabajas	Vosotros/as	trabajáis
Él/ella/usted	trabaja	Ellos/ellas/ustedes	trabajan

5. Pronombres interrogativos para dar y recibir información personal

Pronombres interrogativos	
✘ ***¿Cómo*** + verbo?: *¿**Cómo** te llamas?*	✘ ***¿De dónde*** + verbo?: *¿**De dónde** son tus amigas?*
✘ ***¿Qué*** + sustantivo?: *¿**Qué** idiomas hablas?*	✘ ***¿Cuál es*** + sustantivo?: *¿**Cuál** es tu número de teléfono? ¿**Cuál** es tu profesión?*
✘ ***¿Cuánto/a/os/as*** + sustantivo + verbo?: *¿**Cuántos** años tienes?*	✘ ***¿A qué*** + ***dedicarse***?: *¿**A qué se dedica** tu padre?*
✘ ***¿Dónde*** + verbo?: *¿**Dónde** trabajáis vosotros?*	

UNIDAD 3: EL DÍA A DÍA

1. Presente de indicativo: verbos regulares

	Hablar	Aprender	Escribir
Yo	hablo	aprendo	escribo
Tú	hablas	aprendes	escribes
Él/ella/usted	habla	aprende	escribe
Nosotros/as	hablamos	aprendemos	escribimos
Vosotros/as	habláis	aprendéis	escribís
Ellos/ellas/ustedes	hablan	aprenden	escriben

En español, existen tres **conjugaciones**: primera conjugación, infinitivo terminado en ***–ar***, segunda, en ***–er***, y tercera, en ***–ir***, con terminaciones (*desinencias*) diferentes según las personas verbales.

2. Verbos pronominales

	Llamarse	Apellidarse
Yo	me llamo	me apellido
Tú	te llamas	te apellidas
Él/ella/usted	se llama	se apellida
Nosotros/as	nos llamamos	nos apellidamos
Vosotros/as	os llamáis	os apellidáis
Ellos/ellas/ustedes	se llaman	se apellidan

Los verbos pronominales son verbos que **se construyen** siempre con un **pronombre**. También son pronominales los verbos *lavarse* o *dedicarse*, entre otros.

3. Verbo *tener*: forma y usos

El verbo ***tener*** es un verbo de la segunda conjugación (*–er*). Es **irregular**.

Tener			
Yo	**tengo**	Nosotros/as	tenemos
Tú	**tienes**	Vosotros/as	tenéis
Él/ella/usted	**tiene**	Ellos/ellas/ustedes	**tienen**

- El verbo ***tener*** sirve para expresar **posesión** y **pertenencia**:
  —*Usted **tiene** una casa preciosa.*
  —*Vosotros **tenéis** muchos amigos.*
- Se usa para expresar **sensaciones**, **sentimientos** y **emociones**:
  —***Tengo** muchas ganas de ver a mi hermano.* —*Ellas **tienen** miedo.* —*El niño **tiene** hambre.*
- Sirve para hablar de la **edad**:
  ● *¿Cuántos años **tiene** Arturo?*
  ○ *Arturo **tiene** 26 años.*

6. Números

Los números del 0 al 101					
0 cero	**7** siete	**14** catorce	**21** veintiuno	**28** veintiocho	**75** setenta y cinco
1 uno	**8** ocho	**15** quince	**22** veintidós	**29** veintinueve	**88** ochenta y ocho
2 dos	**9** nueve	**16** dieciséis	**23** veintitrés	**30** treinta	**97** noventa y siete
3 tres	**10** diez	**17** diecisiete	**24** veinticuatro	**31** treinta y uno	**100** cien
4 cuatro	**11** once	**18** dieciocho	**25** veinticinco	**42** cuarenta y dos	**101** ciento uno
5 cinco	**12** doce	**19** diecinueve	**26** veintiséis	**53** cincuenta y tres	
6 seis	**13** trece	**20** veinte	**27** veintisiete	**66** sesenta y seis	

UNIDAD 4: ¡BIENVENIDOS A CASA!

1. Artículo indeterminado

Artículo indeterminado		
	masculino	**femenino**
singular	**un** alumno	**una** alumna
plural	**unos** alumnos	**unas** alumnas

- El artículo indeterminado ***un/una/unos/unas*** se utiliza para hablar de un objeto o ser por primera vez o cuando no queremos especificar:
  —*En mi casa hay **un balcón*** (1.ª mención) *muy grande. **El balcón*** (2.ª mención) *es azul.*
  —*En el cine hay **unas butacas*** (sin especificar) *muy incómodas.*
- Si utilizamos ***hay*** con una palabra plural, podemos suprimir el artículo:
  —*En el cine **hay butacas** muy incómodas.* —*En la librería **hay libros** antiguos.*

2. Verbo *estar*: forma y usos

El verbo ***estar*** es un verbo de la primera conjugación. Es **irregular** en la 1.ª persona del singular:

Estar			
Yo	**estoy**	Nosotros/as	estamos
Tú	estás	Vosotros/as	estáis
Él/ella/usted	está	Ellos/ellas/ustedes	están

- Utilizamos el verbo ***estar*** para **situar** a las personas y a los objetos en el espacio:
  —*En mi salón hay una mesa y un sofá. La mesa **está** en el centro de la habitación, el sofá **está** a la izquierda de la puerta.*
  —*En mi dormitorio hay dos camas. Mi hermano **está** en la cama de la derecha.*

3. Hablar de la existencia de cosas y personas y su cantidad

Hay/no hay

- Para hablar de la **existencia** o no de algo o de alguien se usa ***(No) Hay*** + artículo indeterminado + sustantivo:
  —***Hay** una taza en la mesa.* —***No hay** (unos) libros en la cartera.* —***Hay** una chica en la ventana.*
- Con los nombres en plural es frecuente eliminar el artículo. También con los nombres no contables:
  —*En esta floristería **hay flores** rojas preciosas.* —*No **hay leche** en el frigorífico.*
- Para indicar la cantidad de objetos o personas que existen en un lugar puedes usar: (Lugar) + ***Hay*** + numeral + sustantivo:
  —*En mi calle **hay cinco naranjos**.* —*En mi pueblo **hay dos cines**.* —*En mi casa **hay muchos cuadros**.*

4. Existencia y ubicación

Contraste *hay/está/están*

x *Hay*

- Solamente tiene una forma para singular y plural, y se usa para hablar de la existencia de alguien, de algo o de su cantidad:
  *–**Hay** una profesora nueva de Matemáticas.* *–**Hay** un súper cerca de aquí.* *–**Hay** dos flores en el jarrón.*
- Sirve para hacer referencia a una persona o cosa **desconocida**. Recuerda que, cuando va con una palabra en plural o con un nombre no contable, generalmente no lleva artículo:
  *–¿**Hay** un hospital cerca de aquí?* *–**Hay tiendas** por todo el barrio.* *–No **hay gente** en la calle.*

x *Está*

- Utilizamos la estructura ***El/La*** + nombre en singular + ***está*** para situar una persona y objeto en el espacio:
  *–**El** niño **está** en el jardín.* *–**El** coche **está** en el aparcamiento.*

x *Están*

- Utilizamos la estructura ***Los/Las*** + nombre en plural + ***están*** para situar varias personas o cosas en un lugar:
  *–Julia y Diego **están** en el cine.* *–**Las** sillas **están** alrededor de la mesa.*

5. Artículos contractos

En español solo existen dos artículos contractos: ***al*** (*a* + *el*) y ***del*** (*de* + *el*):

*–El dormitorio está **al** lado **del** salón.*

6. Marcadores espaciales

El perro está...

a la izquierda del televisor.

a la derecha de la aspiradora.

al lado del contenedor.

entre la pelota **y** las zapatillas.

cerca de la lavadora.

lejos de la planta.

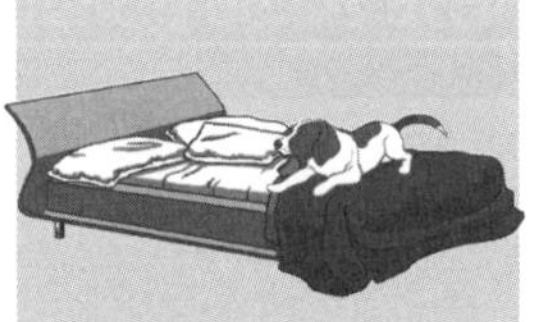

encima de la cama.

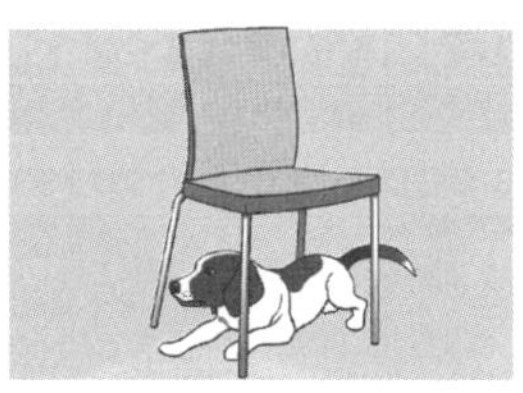

debajo de la silla.

delante del sofá.

detrás del sillón.

7. Graduar la cantidad y la intensidad

Adjetivos y adverbios de cantidad e intensidad

x Los **adjetivos de cantidad** se utilizan para **graduar la cantidad** de personas o de objetos. Para ello, puedes usar la estructura: Verbo + ***mucho/poco (a/os/as)*** + nombre:

*–Juan tiene **mucho** trabajo.* *–Hay **muchas** compañeras nuevas.*
*–Elsa trabaja **pocas** horas.* *–Hay **poco** espacio.*

x Los **adverbios de cantidad** sirven para **graduar la intensidad** de una cualidad o una acción. Para graduar la intensidad de las cualidades, puedes usar la estructura: Verbo + ***muy/poco*** + adjetivo:

*–Carmen es **muy** alta.* *–Los chicos están **muy** cansados.*
*–El vecino está **poco** hablador.* *–La fiesta está **poco** animada.*

x Para graduar la intensidad de las acciones, puedes usar la estructura: Verbo + ***mucho/poco***:

*–Yo trabajo **mucho**.* *–María come **poco**.*

8. Preguntar por la existencia, cantidad y ubicación

Pronombres interrogativos de existencia, cantidad y ubicación

- *¿**Qué** + hay...?* Se usa para preguntar por la **existencia** de algo o alguien:
  - *¿**Qué** hay en este cajón?*
- *¿**Cuántos/as** +* sustantivo? Se usa para preguntar por la **cantidad** de objetos o personas que existen:
  - *¿**Cuántos** niños hay en el colegio?*
- *¿**Dónde** + está/están?* Se usa para preguntar la **ubicación** de personas o cosas:
  - *¿**Dónde** está Maite?*
  - *¿**Dónde** están los discos?*

UNIDAD 5: ¡QUÉ GUAPO!

1. Adjetivos posesivos

Adjetivos posesivos		
	singular	**plural**
Yo	**mi** padre/madre	**mis** sobrinos/sobrinas
Tú	**tu** nieto/nieta	**tus** cuñados/cuñadas
Él/ella/usted	**su** abuelo/abuela	**sus** hermanos/hermanas
Nosotros/as	**nuestro** amigo/ **nuestra** amiga	**nuestros** hijos/ **nuestras** hijas
Vosotros/as	**vuestro** tío/ **vuestra** tía	**vuestros** compañeros/**vuestras** compañeras
Ellos/ellas/ustedes	**su** hermano/hermana	**sus** primos/primas

El adjetivo posesivo va siempre acompañado de un sustantivo y concuerda en género y número con el nombre que expresa lo poseído y no con la persona que posee:

***Mis** coches* → 'Yo (persona que posee) tengo varios coches (objeto poseído)'.
***Nuestro** coche* → 'Nosotros (personas que poseen) tenemos un coche (objeto poseído)'.

*—**Mi** abuela es la madre de **mi** padre o de **mi** madre.*
*—**Nuestra** hija es peluquera.*
*—Buenos días, Sr. y Sra. Gómez, les está esperando **su** nieto Ezequiel.*
*—**Tus** amigas se llaman Magdalena y Sonia.*
*—**Vuestro** tío está enfermo.*

2. Pedir y dar información personal

Pedir y dar información personal

- Cuando queremos pedir o dar información personal hablamos del **estado civil** (*casado/a, soltero/a, separado/a, divorciado/a, viudo/a*), de la **familia**, la **profesión** o los **estudios**...

Pedir información personal

- *¿**Estar*** + estado civil?
  - *—¿**Estás** casado?*
  - *—¿**Estás** soltera?*
- *¿**Tener*** + nombre masculino plural?
  - *—¿**Tiene** usted hijos?*
  - *—¿**Tienes** hermanos?*
- *¿**Cuántos*** + nombre masculino plural + ***tener**?*
  - *—¿**Cuántos** hijos **tiene** Julio?*
  - *—¿**Cuántos** hermanos **tienes**?*
- *¿**A qué** + **dedicarse**?*
  - *—¿**A qué se dedica** tu madre?*

Dar información personal

- ***Sí/No, (no)*** + ***estar*** + estado civil
  - *—**Sí, estoy** casado con María.*
  - *—**No, no estoy** soltera, estoy divorciada.*
- ***Sí/No, no*** + ***tener*** + nombre
  - *—**No, no tengo** hijos.*
  - *—**Sí, tengo** una hermana y un hermano.*
- ***Tener*** + numeral + nombre masculino plural
  - *—Julio **tiene** tres hijos.*
  - *—**Tengo** dos hermanos: un hermano y una hermana.*
- ***Ser*** + ocupación o profesión
  - *—**Es** actriz.*

3. Descripción de personas

Descripción física y de carácter

- Para hablar de las **características físicas** o del **carácter** puedes usar:
  - ***Ser*** + adjetivo
    *—**Sois** altos.* *—Laura **es** pelirroja.* *—**Soy** seria.*
  - ***Ser*** + sustantivo + adjetivo
    *—**Es** una mujer muy alta.* *—**Son** dos alumnos excelentes.* *—Ustedes **son** personas honradas.*
  - ***Llevar*** + sustantivo + (adjetivo) se usa para hablar de las características físicas que **cambian** y para describir la ropa y los complementos o elementos accesorios:
    *—Este verano **llevo** el pelo corto.* *—Manolo **lleva** bigote y barba.*
    *—La señora de enfrente **lleva** una chaqueta naranja y una falda blanca.*
    *—El Sr. Gutiérrez **lleva** una camiseta de rayas, un pantalón gris y un bolso negro.*
  - ***Tener*** + sustantivo + adjetivo
    *—**Tiene** el pelo largo y liso.* *—Elías **tiene** gafas graduadas.* *—Los niños **tienen** los ojos negros.*
- Si hablamos de una cualidad negativa, normalmente suavizamos el adjetivo con la expresión ***un poco***, con el **diminutivo** (*-ito/-ita*), o con los dos:
  *—Raúl es **un poco** nervioso.* *—María es baj**ita**.* *—Mario es **un poco** gord**ito**.*

4. Expresar opinión

- Para dar tu opinión: ***Creo/Pienso/Me parece que*** + opinión:
  *—**Yo creo que** mis compañeros son modernos porque llevan ropa divertida.*
- Para preguntar la opinión: ***¿Y tú qué opinas/piensas*** *(de...)?* o ***¿A ti qué te parece*** *(el tema, asunto, problema de...)?*:
  *—**¿Y tú qué opinas** de este asunto?/**¿A ti qué te parece** este asunto?*

UNIDAD 6: ¿DÓNDE VAMOS?

1. Verbo *ir*: forma y usos

El verbo ***ir*** es un verbo **irregular**.

Ir			
Yo	**voy**	Nosotros/as	**vamos**
Tú	**vas**	Vosotros/as	**vais**
Él/ella/usted	**va**	Ellos/ellas/ustedes	**van**

- Para expresar **dirección** se usa: ***Ir*** + ***a*** + lugar:
  *— Nosotros **vamos a** Madrid.* *—Tú **vas al** centro.*

Recuerda: *a* + *el* → ***al***.

- Para expresar medio de transporte se usa: ***Ir*** + ***en*** + medio de transporte:
  *—Vosotros **vais** a Sevilla **en** tren.* *— Juan **va en** autobús a Bilbao.*

  Recuerda que hay dos excepciones: ***ir a pie***, ***ir a caballo***:
  *—**Voy a pie** por la ciudad.* *—El jinete **va a caballo** por el campo.*
- Para preguntar por el medio de transporte se usa: ***¿Cómo*** + ***ir*** + ***a*** + lugar/acción?:
  ● *¿**Cómo van** los niños **al** colegio?* ● *¿**Cómo vas a** trabajar?*
  ○ *Van a pie.* ○ *Voy en tren.*

2. Verbos *querer, preferir* y *necesitar*: forma y usos

	Querer	Preferir	Necesitar
Yo	quiero	prefiero	necesito
Tú	quieres	prefieres	necesitas
Él/ella/usted	quiere	prefiere	necesita
Nosotros/as	queremos	preferimos	necesitamos
Vosotros/as	queréis	preferís	necesitáis
Ellos/ellas/ustedes	quieren	prefieren	necesitan

- Los verbos *querer* y *preferir* (irregulares en e>ie) se utilizan para **expresar deseos y preferencias** y pueden ir acompañados de un **infinitivo** o de un **sustantivo**:

  ● *¿**Prefieren** ustedes **comer** pescado o carne?*
  ○ ***Preferimos pescado**, gracias.*

  ● *¿**Quieres ir** en metro o en autobús?*
  ○ ***Prefiero ir** en autobús, el metro no me gusta.*

- El verbo *necesitar* también se construye seguido de infinitivo o sustantivo e indica que **algo es necesario**:

  *—Ellos **necesitan alquilar** un apartamento en la playa.*
  *—Vosotros **necesitáis un billete** de ida y vuelta.*

3. Comparativos irregulares

Mejor/peor
✗ ***Mejor/peor*** son **comparativos** irregulares que significan 'más bueno' y 'más malo', respectivamente. Se construyen con ***que***: *—En mi opinión, es **mejor** viajar en tren **que** en autobús.* *—Es **peor** para la salud comer carne **que** pescado.*
✗ También se usan para indicar la cualidad máxima (**superlativo**). En este caso, se construyen con artículo, que concuerda con el sustantivo al que se refieren: *— El agua es **la mejor bebida** para la sed.* *— Para mí, **el mejor arroz** es el de la marca ZOS.*

4. *Por qué/porque*

Por qué es un interrogativo que sirve para preguntar la causa de algo. Se escribe separado. ***Porque*** sirve para indicar la causa de algo. Se escribe junto y sin acento:

● *¿**Por qué** necesitas coche?*
○ *Necesito coche **porque** vivo lejos del trabajo.*

5. Recursos para moverse por la ciudad

Pedir y dar información en la ciudad	
Preguntar/decir el precio	**Pedir/dar información de transportes**
● ***Oiga/Oye, por favor, ¿(sabe/sabes) cuánto cuesta/n...?*** ○ ***Cuesta/Cuestan*** + cantidad ● ***Oiga, por favor, ¿sabe cuánto cuesta el metro?*** ○ ***Cuesta** 3 euros el billete sencillo.*	● *Oiga/Oye, por favor, **¿cómo puedo/podemos ir a**...?* ○ ***Puede/Puedes** + **tomar/coger/ir en*** + medio de transporte ● *Oye, por favor, **¿cómo puedo ir a** Plaza de España?* ○ ***Puedes coger/tomar/ir en** el metro. Son tres paradas.*
Pedir/dar información espacial	
● *Oiga/Oye, por favor, **¿dónde hay/está(n)**...?* ○ *(Mire/Mira),* ***gire/gira** a la derecha/izquierda...* / ***cruce/cruza** la calle/el paso de cebra...* / ***siga/sigue** todo recto/por esta calle...* *(y allí hay/está(n)...)* ● *Oye, por favor, **¿dónde hay** una panadería?* ○ *Mira, **sigue** todo recto hasta la segunda calle, **gira** a la derecha y **cruza** la calle, allí hay una panadería muy buena.*	
Agradecer/responder al agradecimiento	
● **Muchas gracias** (por su ayuda). ○ **¡De nada!/¡No hay de qué!**	

UNIDAD 7: ¡HOY ES MI DÍA!

1. Verbos reflexivos

Lavarse			
Yo	me lavo	Nosotros/as	nos lavamos
Tú	te lavas	Vosotros/as	os laváis
Él/ella/usted	se lava	Ellos/ellas/ustedes	se lavan

Los verbos reflexivos son verbos pronominales que indican que **la acción** del verbo **recae sobre el propio sujeto**. Son reflexivos *ducharse, peinarse, vestirse, pintarse*, entre otros:

*— Todas las mañanas, Javi **se ducha**, **se viste** y **se lava** los dientes después de desayunar.*
*—Yo **me levanto** muy temprano para poder estudiar antes de ir a la universidad.*

2. Presente de indicativo irregular: irregularidad vocálica y primera persona irregular

	e > ie	o > ue	
	Empezar	**Acostarse**	**Otros:**
Yo	empie**zo**	me acue**sto**	*Querer, sentir, preferir, mentir, recomendar, entender...*
Tú	empie**zas**	te acue**stas**	
Él/ella/usted	empie**za**	se acue**sta**	*Recordar, volver, poder, aprobar, sonar, encontrar...*
Nosotros/as	empeza**mos**	nos acosta**mos**	
Vosotros/as	empez**áis**	os acost**áis**	
Ellos/ellas/ustedes	empie**zan**	se acue**stan**	

- Como has visto en unidades anteriores, algunos verbos tienen una irregularidad vocálica que consiste en cambiar **una vocal de la raíz** (*e, o*) en un **diptongo** (*ie, ue*). Esta irregularidad se produce en las personas del singular y en la tercera persona del plural.
  - Otro grupo de verbos presentan una irregularidad especial en la primera persona del singular:

estar	estoy	salir	salgo
hacer	hago	tener	tengo

- Algunos verbos, como *tener*, combinan los dos tipos de irregularidad: ***tengo*** (irregularidad de la 1.ª persona del singular), *tienes, tiene, tenemos, tenéis, tienen* (irregularidad de cambio *e>ie*).

3. Adverbios y expresiones de cantidad

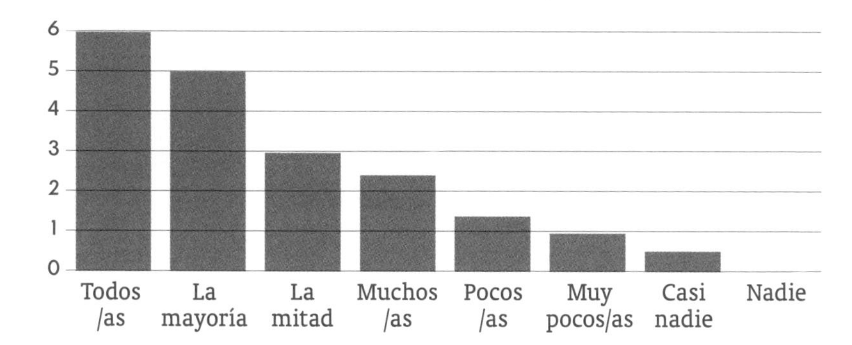

—***Todos*** *los alumnos tienen que hacer el examen.*
—***La mayoría*** *de los españoles no duerme la siesta.*
—*En* ***la mitad*** *del país llueve muy poco.*
—***Muchos*** *europeos pasan las vacaciones en España.*
—*En este colegio,* ***pocas*** *alumnas juegan al baloncesto.*
—*Hay* ***muy pocos*** *niños bajitos en esta clase.*
—*En mi trabajo,* ***casi nadie*** *discute.*
—***Nadie*** *tiene la razón absoluta.*

4. Hablar de la frecuencia de las acciones, la hora y los horarios

Expresar la frecuencia con que se hace algo

- ■■■■■■ siempre/todos los días/las noches...
- □■■■■■ normalmente/a menudo/habitualmente
- □□■■■■ muchas veces
- □□□■■■ algunas veces/a veces
- □□□□■■ pocas veces
- □□□□□■ muy pocas veces/casi nunca
- □□□□□□ nunca

—***Siempre*** *se levanta de buen humor.* —***A menudo*** *viajamos al extranjero.* —***Nunca*** *me acuesto tarde.*

Los días de la semana y las partes del día

x Los días laborables/de diario:
- **el/los** lunes
- **el/los** martes
- **el/los** miércoles
- **el/los** jueves
- **el/los** viernes

x El fin de semana:
- **el** sábado/**los** sábados
- **el** domingo/**los** domingos

x Cuando hablamos de las partes del día, no en todos los países de habla hispana se mantienen exactamente los mismos límites de estas franjas horarias. En general:
- **La mañana** → del amanecer hasta las 12:00 del mediodía.
- **El mediodía** → de 12:00 a 15:00h. En España, el límite entre el mediodía y la tarde lo marca la comida, que suele producirse entre las 13:00 y las 15:00h.
- **La tarde** → de13:00-15:00h a 20:00 o 21:00h, según la puesta de sol.
- **La noche** → desde la puesta de sol hasta el amanecer.

Preguntar/decir la hora y hablar de horarios

Preguntar y decir la hora

● **¿Qué hora es?** ● **¿Tienes/Tiene hora**, por favor?

○ ***Es/Son*** + hora (singular/plural).

*(Es) La una (**en punto**).*

*(Son) Las tres **y cuarto**.*

*(Son) Las dos **y media**.*

*(Son) Las cuatro **menos diez**.*

*(Son) Las **trece horas y cincuenta minutos** (formal).*

Hablar de horarios

✗ ***¿A qué hora*** + verbo (*abrir, cerrar, salir, entrar...*)?
- ● *¿**A qué hora** sales esta tarde del trabajo?*
- ○ *Salgo a las cinco, ¿quedamos?*

✗ ***¿Qué días*** + verbo (*abrir, cerrar, salir, entrar...*)?
- ● *¿**Qué días** abre el Prado?*
- ○ *Abre todos los días, excepto los lunes.*

✗ ***¿Qué horarios*** + ***tiene/n***?
- ● *¿**Qué horarios tiene** el museo?*
- ○ *Abre a las diez y cierra a las siete de la tarde. Los domingos cierra por la tarde.*

✗ ***¿Sabe/s*** + ***los horarios de*** + lugar/actividad?
- ● *Perdone, ¿**sabe los horarios de** los autobuses nocturnos?*
- ○ *Sí, sale uno cada hora en punto.*

UNIDAD 8: ¿A CENAR O AL CINE?

1. Verbo *gustar*

(A mí)	**me**	***gusta*** + nombre **singular/infinitivo**
(A ti)	**te**	
(A él/ella/usted)	**le**	
(A nosotros/as)	**nos**	***gustan*** + nombre **plural**
(A vosotros/as)	**os**	
(A ellos/ellas/ustedes)	**les**	

- El verbo ***gustar*** se usa, generalmente, en tercera persona porque el sujeto gramatical en estas oraciones no es la persona que experimenta la acción sino el objeto o actividad que viene a continuación del verbo *gustar*:

  *Me **gusta** **el español**.* (Sujeto) — *Me **gustan** **los idiomas**.* (Sujeto)

  *Me **gusta** **aprender** **español**.* (Sujeto) — *Me **gustas** **tú**.* (Sujeto)

- Fíjate: el pronombre de objeto indirecto (*me, te, le, nos, os, les*) indica la persona que experimenta la acción.
- Para enfatizar o distinguir la persona que experimenta la acción, se puede usar, además del pronombre de objeto indirecto, el pronombre con preposición: ***a mí, a ti, a él/ella/usted, a nosotros/as, a vosotros/as, a ellos/ellas/ustedes***, o ***a*** + **nombre de la/s persona/s:**

  *–**A mí me** gustan las fiestas en la playa.* — *–**A mis vecinos les** molesta el ruido.*

  *–**A nosotras** no **nos** interesa la política.* — *–**A María le** encanta tocar la armónica.*

- Se conjugan igual que el verbo *gustar*: *encantar, parecer, importar, molestar, doler...*

2. Expresar grados de intensidad

Adverbios y adjetivos de cantidad e intensidad

✗ Con el verbo ***gustar*** se pueden usar los siguientes adverbios para graduar la intensidad:

\+ *–Me gusta **muchísimo** el cine.*

*–Me gusta **mucho** la tortilla de patatas.*

*–Este vestido me gusta **bastante**, me lo voy a comprar.*

*–A Laura no le gusta **demasiado** viajar en avión, le da miedo.*

– *–No nos gustan **nada** las personas que llegan tarde.*

✗ El verbo *encantar* indica grado máximo de intensidad; equivale a *gustar muchísimo* y, por tanto, no puede llevar ningún adverbio de cantidad:

–Nos encanta ~~mucho~~ el campo, salir a comer fuera, pasar el día al aire libre.

CONTINÚA 

- Para expresar **la cantidad de algo o de alguien** puedes usar los **adjetivos** de cantidad:
  - ***mucho/a, poco/a, bastante, demasiado/a*** + nombre (no contable) singular

    *–Vamos a tomar algo, tengo **mucha sed**.* *–Tenemos **muy poco dinero**.*

    *–Están cansados, tienen **demasiado trabajo**.* *–Aquí hay **bastante gente**.*
  - ***muchos/as, pocos/as, bastantes, demasiados/as*** + nombre (contable) plural

    *–En esta tienda hay **muchos cuadros**.* *–Hay **pocas flores**, compra otro ramo.*

    *–Ya tenemos **bastantes alumnos**.* *–¡Qué ruido! Hay **demasiados coches**.*
- La forma ***demasiado*** es **negativa** y significa **'en exceso'**. Usada **en forma negativa** equivale a **'no mucho'**:

  *–Coméis **demasiado**. Vais a engordar.* *–No hay **demasiada gente**, podemos entrar.*

3. Expresar dolor y malestar

Para expresar dolor y malestar, se puede usar el verbo ***doler***, que se conjuga como el verbo *gustar*:

(A mí)	**me**	(A nosotros/as)	**nos**	***duelen*** + parte del cuerpo en **plural** (*ojos, oídos, pies...*)	***duele*** + parte del cuerpo en **singular** (*estómago, cabeza...*)
(A ti)	**te**	(A vosotros/as)	**os**		
(A él/ella/usted)	**le**	(A ellos/ellas/ustedes)	**les**		

- Cuando nos referimos a una parte de nuestro cuerpo con el verbo *doler*, usamos el artículo determinado:

  *–A Mónica le duele **la** cabeza.* *–Me duelen **las** cervicales.*

  *–Nos duelen **los** pies de caminar.* *–¿Qué te duele?*
- Además del verbo *doler*, para expresar dolor y malestar se puede usar la expresión ***tener dolor de*** + parte del cuerpo:

  *–Si **tienes dolor de** pies, siéntate un rato.* *–¡Qué **dolor de** cabeza **tengo**!*
- Para expresar los síntomas de una enfermedad se puede usar el verbo ***tener*** + síntoma:

  *–**Tengo** fiebre.* *–**Tengo** tos.*
- Por último, para expresar el estado físico o anímico de una persona se puede usar el verbo ***estar*** + estado físico o anímico:

  *–**Estoy** mareado.* *–**Estamos** cansados.* *–**Está** muy deprimido.*

4. Expresar acuerdo o desacuerdo con los gustos de otra persona

También/tampoco/sí/no

- Para expresar que se tienen los **mismos gustos**, se usa ***también*** y ***tampoco***:

  Me gusta(n). / A mí, también. (Sí / Sí)

  No me gusta(n). / A mí, tampoco. (No / No)

  *–A Luis **le gusta** la cerveza. **A mí también**.*

  *–A Felipe **no le gustan** las aceitunas. **A mí tampoco**.*

- Para expresar que se tienen **gustos diferentes** se usa ***(Pues) A mí/a ti/ a Juan... sí/no***:

  Me gusta(n). / A mí, no. (Sí / No)

  No me gusta(n). / A mí, sí. (No / Sí)

  *–A Montse **le gusta** el tomate; **a Mariví, no**.*

  *● A Begoña **no le gustan** las alcachofas.*

  *○ Pues **a Dani, sí**.*

UNIDAD 9: NOS VAMOS DE TAPAS

1. Gerundio

Gerundio regular			Gerundio irregular
Hablar	**Entender**	**Escribir**	decir → diciendo mentir → mintiendo dormir → durmiendo leer → leyendo oír → oyendo ir → yendo
habl**ando**	entend**iendo**	escrib**iendo**	
andando, mirando, comprando, saludando	*teniendo, corriendo, haciendo, queriendo*	*aplaudiendo, prohibiendo, saliendo, subiendo*	

- El gerundio es una forma **impersonal** del verbo que se usa para **hablar** de la **manera** o modo de **hacer algo**:
  —*Estudio español **hablando** con los españoles que hay en mi escuela.*
  —*Carmen se recupera de la lesión **haciendo** ejercicios de rehabilitación.*
- Cuando el verbo es pronominal (*lavarse*), el pronombre se coloca después del gerundio y forma una sola palabra con él:
  —*Ellos se refrescan **bañándose** en la piscina.*

2. Expresar el desarrollo de una acción: *estar* + gerundio

Estar + gerundio			
Yo	**estoy** trabajando	Nosotros/as	**estamos** bebiendo
Tú	**estás** comiendo	Vosotros/as	**estáis** escribiendo
Él/ella/usted	**está** durmiendo	Ellos/ellas/ustedes	**están** riéndose

- Esta perífrasis se usa para hablar del **desarrollo** de una **acción**:
  —*Ahora **estoy escribiendo** en el ordenador.*
  —*Los niños **están lavándose** los dientes.*
  —*¿Qué **está haciendo** Carmen?*
  —*Usted **está leyendo** una novela muy interesante.*

3. Verbo *poder*: forma y usos

El verbo ***poder*** es un verbo con irregularidad *o>ue* en las personas del singular y en la 3.ª persona del plural.

Poder			
Yo	puedo	Nosotros/as	podemos
Tú	puedes	Vosotros/as	podéis
Él/ella/usted	puede	Ellos/ellas/ustedes	pueden

- El verbo *poder* se usa para hacer **propuestas**, dar **consejos** o hacer **sugerencias**:
  —*Esta tarde salgo pronto de clase, **podemos ir** a la playa un rato.*
  ● *Tengo muchos problemas con Toni, ¿qué **puedo hacer**?*
  ○ ***Puedes hablar** con él muy seriamente, y decirle que no **puede seguir** así.*

4. *Ir* + *a* + infinitivo

Esta estructura se utiliza para expresar **planes** o **intenciones** en un **futuro** inmediato. Se forma con el verbo *ir* conjugado en presente, la preposición *a* y el infinitivo del verbo principal:

—*Ahora mismo **voy a poner** la lavadora.*
—*Este fin de semana **vamos a ver** a nuestras amigas.*
—*Esta tarde **voy a tomar** café con José.*
—*Mañana Javi **va a comprar** el cuadro a Teresa.*

5. En el bar

Recursos y estrategias en un bar o restaurante

Preguntar por la comida y la bebida

- ***¿Qué quieres/quiere tomar/beber?***
- ***¿Vas/Va a tomar algo?***
  —*Buenas tardes, **¿qué quieren tomar?***
  —*Hola, buenos días, **¿va a tomar algo?***
- ***¿Qué vas/va a tomar/comer/beber?***
- ***¿(Te/Le pongo) Algo de comer/beber?***
  — *Hola, **¿qué vais a beber** por favor?*
  —***¿Le pongo algo de beber**, señora?*

Pedir algo de comer o beber

- ***Me/Nos + pone*** + comida o bebida
  —***Me pone** unas patatas bravas, por favor.*
  —***Nos pone** una cerveza y un refresco.*
  —***Me pone** una cerveza, por favor.*
- ***Para mí,...***
  —***Para mí**, un bocadillo de calamares.*
- ***Yo, un/una...***
  —***Yo un** helado de fresa.*

Pedir la cuenta

- ***La cuenta, por favor.***
- ***¿Me/Nos trae la cuenta, por favor?***
  —*Camarero, **la cuenta, por favor.***
- ***¿Cuánto es?***
  —*¿**Cuánto** es todo?*
  —*¿**Cuánto** es la tapa y la cerveza?*

6. Proponer planes y responder

Proponer un plan, aceptarlo, rechazarlo

Hacer una propuesta

- *¿**Vamos a*** + lugar/actividad?
- *¿**Qué te/os parece si*** + plan?
  —*¿**Vamos a** la discoteca esta noche?*
  —*¿**Qué te parece si** vamos de compras hoy?*
- *¿**Y si*** + plan?
- *¿**Te/Os apetece*** + plan?
  —*¿**Y si** celebramos tu cumple en el campo?*
  —*¿**Os apetece** tomar algo?*
- *¿**Qué tal si*** + plan?
- ***Podemos*** + infinitivo
  —*¿**Qué tal si** llamo a Luis?*
  —***Podemos** ir al cine y a cenar.*

Aceptar una propuesta y concretar la cita

● ***Vale/de acuerdo/ fantástico,...*** ***¿cuándo / ¿a qué hora / ¿dónde quedamos?***

○ ***El*** + día de la semana, fecha
○ ***A las*** + hora
○ ***En*** + lugar

● *¿Cuándo quedamos?*
○ *La próxima semana, **el** jueves por la tarde, para tomar café.*

● *¿Y a qué hora quedamos **el** jueves?*
○ *Pronto, **a las** nueve, ¿te parece?*
● *Sí, perfecto.*

○ *¿Dónde quedamos?*
● *Pues **en** la cafetería que está debajo de la oficina, ¿no?*

Rechazar una propuesta

✗ Para **rechazar una propuesta** es necesario explicar la causa y, a veces, proponer otro plan alternativo para no resultar descortés. Puedes usar esta estructura: ***(No)*** + ***(Lo siento)*** + ***Es que*** + excusa + (plan alternativo):
—***No, es que*** *no me dejan salir mis padres de noche, ¿y si vamos por la tarde?*
—***Lo siento, es que*** *tengo mucho trabajo. ¿Quedamos el fin de semana?*
—***No, lo siento, es que*** *no me encuentro bien, otro día.*

UNIDAD 10: ¡MAÑANA ES FIESTA!

1. La opinión

Expresar opiniones

Dar una opinión

- ***Creo/Pienso/Opino/(A mí) Me parece*** + ***que*** + opinión
- ***(A mí) Me parece/n*** + opinión
- ***Para mí,*** + opinión

—***Creo que*** *los niños tienen que jugar más.*
—***Opino que*** *no está bien.*
—***A mí me parecen*** *muy interesantes tus argumentos.*
—***Pienso que*** *la situación económica es un caos.*
—***Nos parece que*** *es interesante la propuesta.*
—***Para mí,*** *este colegio no vale nada.*

Recuerda que el verbo *parecer* para expresar opinión se usa en tercera persona, como el verbo *gustar*.

Pedir una opinión

- ***¿(Qué) Crees/Piensas/Opinas/Te parece*** + tema?
  —*¿**Qué opina usted** de nuestras playas?*
  —*¿**Creen ustedes** que dice la verdad?*
  —*¿**Qué pensáis** del nuevo jefe?*
- ***¿(Qué) Cree (Vd.)/Piensa (Vd.)/Opina (Vd.)/Le parece (a Vd.)*** + tema?
  —*¿**Qué les parece** nuestro barrio?*
  —*Y tú, ¿**qué crees**?*
  —*¿**Piensas que** tengo razón?*

Mostrar acuerdo y desacuerdo con la opinión de otro

✗ Para expresar **acuerdo total** puedes usar la estructura: ***Estoy (totalmente) de acuerdo con...***:
Estoy de acuerdo contigo. —***Estoy totalmente de acuerdo con*** *mi jefa.*
Fíjate: *con* + *yo* → ***conmigo***; *con* + *tú* → ***contigo***.

✗ Para expresar **acuerdo parcial** puedes usar la estructura: ***Creo que tienes/tiene razón pero...***:
—***Creo que Felisa tiene razón pero*** *las discusiones no solucionan las cosas.*

✗ Para expresar **desacuerdo** puedes usar las estructuras: ***No estoy (en absoluto) de acuerdo con.../No tienes razón***:
—***No estoy en absoluto de acuerdo contigo.*** —***No tienes razón.*** *Yo creo que vivir aquí tiene muchas ventajas.*

✗ Los verbos ***parecer*** y ***gustar*** pueden indicar también acuerdo o desacuerdo:
—*Tu propuesta **me parece** la mejor solución.* —***No me gusta*** *vuestra idea.*

2. La negación

La negación

- En español existen diferentes modos de decir *no*. Normalmente cuando decimos no, aclaramos, matizamos o justificamos la negación para no resultar descorteses. Es muy importante prestar atención a la entonación del hablante para saber si la negación es **fuerte, neutra** o **débil**.

Negación neutra o débil

- ***No*** + información
  - ○ *Huy, **no** me sirve el bañador del año pasado.*
  - ● *Pues cómprate otro.*
- ***Bueno, bueno, no...***
  - ○ *¡Qué calor!*
  - ● ***Bueno, bueno, no** es para tanto.*

Negación fuerte

- ***¡Ni hablar!***
  - ○ *Papá ¿podemos salir esta noche?*
  - ● ***¡Ni hablar!**, el lunes tenéis examen.*
- ***¡Que no!***
  - ○ *Por favor, solo un ratito.*
  - ● ***¡Que no!***
- ***No quiero (ni)*** + infinitivo
  - ○ *Porfa...*
  - ● *¡Que no! **No quiero** oír nada más.*

- La negación fuerte también se consigue con la doble negación.
  - ***Ni... ni...***
    - ○ *¿Qué te pasa? **Ni** quieres salir, **ni** quieres quedarte, ¿qué hacemos?*
    - ● ***No** me pasa **nada**.*
  - ***Nunca jamás/más.***
    - *—Carlos, no vuelvas a llamarme **nunca jamás/más**.*
  - ***Que no... que no...***
    - ○ *Come un poco de fruta, Javi.*
    - ● ***Que no, que no** quiero fruta, **que no** me gusta.*

3. Imperativo regular e irregular: forma y usos

Imperativo **regular**:

	Hablar	Beber	Escribir
Tú	habla	bebe	escribe
Usted	hable	beba	escriba
Vosotros/as	hablad	bebed	escribid
Ustedes	hablen	beban	escriban

- El imperativo se usa en cuatro personas: *tú, usted, vosotros/as, ustedes*:
  - *—Luis, **estudia** el imperativo para mañana.*
  - *—Marta, Mario, **escribid** una postal a vuestros padres.*
  - *—**Beba** usted agua embotellada.*
  - *—Señores, **miren** este cuadro con atención.*
- Con el imperativo afirmativo los pronombres van **detrás** del verbo y forman una sola palabra:
  - *—**Levántate** de la cama que es muy tarde.*
  - *—**Báñese** en la piscina, hace mucho calor.*
- En algunos lugares de Hispanoamérica el pronombre personal de segunda persona es ***vos*** y tiene unas formas propias de imperativo:
  - *—**Salí** vos.* *—**Mirá** vos* *—**Bebé** vos.*
- El imperativo es un modo verbal que se usa en español para **dar órdenes, consejos** e **instrucciones**:
  - *—Salid inmediatamente de la clase.* *—Coma más verdura, es buena para la salud.* *—Gira la primera calle a la izquierda.*

Imperativo **irregular**:

	Ir	Venir	Poner	Hacer	Tener	Salir
Tú	**ve**	**ven**	**pon**	**haz**	**ten**	**sal**
Usted	**vaya**	**venga**	**ponga**	**haga**	**tenga**	**salga**
Vosotros/as	id	venid	poned	haced	tened	salid
Ustedes	**vayan**	**vengan**	**pongan**	**hagan**	**tengan**	**salgan**

- La forma *vosotros/as* del imperativo es siempre regular.
- Los verbos con irregularidad vocálica en el presente de indicativo mantienen el cambio vocálico en imperativo en las formas ***tú, usted, ustedes***:
  - *—**Piensa** antes de hablar.*
  - *—**Duerma** por lo menos siete horas.*
  - *—**Empiecen** a colocar las sillas para la reunión.*

UNIDAD 11: YA HEMOS LLEGADO

1. Pretérito perfecto de indicativo regular e irregular

- El pretérito perfecto es un tiempo compuesto; lo formamos con el presente del verbo *haber* más el participio de un verbo.

Haber			
Yo	he	Nosotros/as	hemos
Tú	has	Vosotros/as	habéis
Él/ella/usted	ha	Ellos/ellas/ustedes	han

- El participio es una forma verbal invariable. Hay dos tipos de participios: regulares e irregulares.

Participios regulares		Participios irregulares	
• **–ar → –ado**	• **–er/–ir → –ido**	hacer → **hecho**	abrir → **abierto**
habl**ar** → habl**ado**	com**er** → com**ido**	poner → **puesto**	cubrir → **cubierto**
cant**ar** → cant**ado**	beb**er** → beb**ido**	resolver → **resuelto**	decir → **dicho**
	viv**ir** → viv**ido**	romper → **roto**	ver → **visto**
	sal**ir** → sal**ido**	descubrir → **descubierto**	morir → **muerto**
		escribir → **escrito**	volver → **vuelto**

- En el pretérito perfecto la forma del participio es igual para todas las personas.

	Hablar	Aprender	Vivir
Yo	he hablado	he aprendido	he vivido
Tú	has hablado	has aprendido	has vivido
Él/ella/usted	ha hablado	ha aprendido	ha vivido
Nosotros/as	hemos hablado	hemos aprendido	hemos vivido
Vosotros/as	habéis hablado	habéis aprendido	habéis vivido
Ellos/ellas/ustedes	han hablado	han aprendido	han vivido

2. Usos del pretérito perfecto

- Usamos el **pretérito perfecto** para hablar de acciones terminadas en presente o en un periodo de tiempo no terminado. Utilizamos los siguientes marcadores temporales:

MARCADORES TEMPORALES DE PRETÉRITO PERFECTO	
• **Esta** mañana/tarde/noche/semana • **Este** mes/año/fin de semana/verano • **Hoy**	• **Últimamente** • **Hace** un rato/diez minutos

*—**Esta mañana** he visto a Luisa.*
*—**Este verano** hemos ido a la playa.*
*—**Hoy** he tenido dolor de cabeza.*

*—**Últimamente** he tenido mucho trabajo.*
*—**Hace un rato** han llamado por teléfono.*

- Usamos el pretérito perfecto para hablar de las **acciones previstas** indicando si se han realizado o no. Los marcadores que se usan son ***ya/todavía no***:

*—¿Has hecho **ya** los deberes?*
*—No, **todavía no** he terminado.*

UNIDAD 12: VIAJA CON NOSOTROS

1. Pretérito indefinido regular e irregular

	Viajar	Aprender	Vivir
Yo	viajé	aprendí	viví
Tú	viajaste	aprendiste	viviste
Él/ella/usted	viajó	aprendió	vivió
Nosotros/as	viajamos	aprendimos	vivimos
Vosotros/as	viajasteis	aprendisteis	vivisteis
Ellos/ellas/ustedes	viajaron	aprendieron	vivieron

- El pretérito indefinido es uno de los tiempos que hay en español para hablar en **pasado**. Con este tiempo verbal nos referimos a **acciones terminadas** en un **tiempo pasado** y sin relación con el presente:
  *—El verano pasado **viajé** a Estados Unidos.*
- El pretérito indefinido tiene las mismas terminaciones para los verbos regulares terminados en ***–er*** y en ***–ir.***
- La forma verbal ***nosotros*** del pretérito indefinido de los verbos en ***–ar*** y en ***–ir*** es igual a la del presente de indicativo:
  *—Nosotros **vivimos*** (presente) *en Madrid pero el año pasado **vivimos*** (pasado) *en Barcelona durante unos meses.*

Algunos **verbos irregulares** son:

	Ser/Ir	Dar	Estar	Tener	Hacer
Yo	**fui**	**di**	**estuve**	**tuve**	**hice**
Tú	**fuiste**	**diste**	**estuviste**	**tuviste**	**hiciste**
Él/ella/usted	**fue**	**dio**	**estuvo**	**tuvo**	**hizo**
Nosotros/as	**fuimos**	**dimos**	**estuvimos**	**tuvimos**	**hicimos**
Vosotros/as	**fuisteis**	**disteis**	**estuvisteis**	**tuvisteis**	**hicisteis**
Ellos/ellas/ustedes	**fueron**	**dieron**	**estuvieron**	**tuvieron**	**hicieron**

- Los verbos ***ser*** e ***ir*** comparten la misma forma. El contexto nos aclara de qué verbo se trata:
  *—El 9 de junio **fue*** (ser) *mi cumpleaños.* *—Felipe **fue*** (ir) *a Granada la semana pasada.*

2. Marcadores temporales del pretérito indefinido

- Los **marcadores temporales** de pretérito indefinido más habituales son:
  - **ayer**
  - **anoche**
  - **anteayer**
  - **la semana pasada**
  - **el mes pasado**
  - **el año pasado**
  - **el otro día** (indeterminado)

—Hoy es día 20.
*—**Ayer**, día 19, **fue** el cumpleaños de Malena.*
*—**Anoche*** (=ayer por la noche) ***dormí** mal.*
*—**Anteayer*** (día 18) ***salí** con Lola a tomar una copa.*
*—**El otro día*** (un día ya pasado, pero sin especificar la fecha) ***fui** al cine.*
*—**La semana pasada*** (del 11 al 19) *Javi me **regaló** un libro muy interesante.*
*—**El mes pasado*** (julio) ***nació** Álex.*

3. El tiempo atmosférico

Hablar del tiempo atmosférico

✗ Para **preguntar** por el tiempo atmosférico se puede usar la expresión: ***¿Qué tiempo hace?***
Para **responder** se pueden usar diferentes verbos y expresiones:

- ***Hace frío***, *calor, viento, aire, sol, fresco, mal tiempo, buen tiempo...*
- ***Llueve/está lloviendo.***
- ***Nieva/está nevando.***

] Recuerda que los verbos *llover* y *nevar* solo se usan en tercera persona de singular.

- ***Hay** tormenta, rayos, truenos, niebla, nubes...*
- *El tiempo **es** suave, cálido, árido, seco, húmedo...*
- ***Está** despejado, claro, soleado, nublado...*
- *La temperatura **es** alta, baja, agradable, de X grados...*

✗ Cuando queremos graduar la intensidad utilizamos ***muy/bastante*** + adjetivo, ***mucho/a/os/as*** o ***bastante/s*** + sustantivo, o verbo + ***mucho/bastante***:

*—Está **muy despejado** el día.*
*—La temperatura es **bastante baja**, 5 grados.*
*—Hay **mucha niebla** en Londres.*
*—Aquí **nieva bastante** durante el invierno.*
*—El verano es **muy cálido**.*
*—Hace **mucho frío** en París.*
*—Hay **bastantes nubes** en el cielo.*
*—En Galicia **está lloviendo mucho**.*

GLOSARIO

UNIDAD 1

En tu idioma

Agrupar: verbo. Reunir en grupo elementos semejantes.

Apellido: m. Nombre de familia.

Bien: adv. Favorable, conveniente.

Buenas tardes: Expresión de saludo usada del mediodía a la noche.

Buenos días: Expresión de saludo que se utiliza por la mañana.

Cirujano/a: m y f. Médico especialista en cirugía.

Clase: f. 1. Aula. 2. Grupo de estudiantes que asiste a un aula.

Columna: f. Espacio escrito en una página de forma vertical.

Compañero/a: m y f. Persona que comparte con otra alguna actividad.

Completar: verbo. Rellenar.

Deletrear: verbo. Pronunciar por separado cada letra.

Despacio: adv. Poco a poco, lentamente.

Despedida: f. Expresión o gesto para decir adiós.

Doctor/a: m y f. Médico/a.

Escribir: verbo. Representar conceptos o ideas mediante letras o signos.

Escuchar: verbo. Prestar atención a lo que se oye.

Expresión: f. Manifestación de sentimientos y pensamientos.

Extranjero/a: m y f. Que es o viene de otro país.

Formal: adj. Serio, responsable.

Formar: verbo. Educar.

Frase: f. Conjunto de palabras que tienen un sentido.

Gracias: f. Sentir o mostrar gratitud por algo recibido.

Hasta luego: Expresión de despedida.

Hasta mañana: Expresión de despedida hasta el día siguiente.

Hermano/a: m y f. Persona nacida de los mismos padres respecto a otra.

Hola: Saludo familiar.

Informal: adj. Que no tiene seriedad o protocolo.

Informático/a: adj. y s. Persona que se dedica a la informática.

Interrumpir: verbo. Cortar el discurso de otra persona.

Leer: verbo. Pasar la vista por lo escrito, para comprender lo que dice.

Letra: f. Signo o figura de los sonidos o fonemas de una lengua.

Llamarse: verbo. Tener un determinado nombre.

Masajista: m. y f. Persona que se dedica a dar masajes.

Nombre: m. Palabra que designa una realidad.

Ordenar: verbo. Poner en orden.

Paciente: m. Enfermo que sigue un tratamiento respecto al médico.

Pareja: f. Conjunto de dos personas.

Por favor: Expresión de cortesía que se añade a una petición.

Presentación: f. Hecho de dar a conocer algo a los demás.

Presentar: verbo. Dar a conocer una persona a otra.

Profa: dim. col. de profesora. **f.** Persona que se dedica a la enseñanza.

Repetir: verbo. Volver a hacer o decir.

Saludo: m. Expresión o gesto para decir hola.

Señalar: **verbo.** 1. Poner una marca. 2. Indicar algo o a alguien. ....

Señor/a: **m y f.** Término de cortesía que se aplica a cualquier persona adulta. ....

Sonido: **m.** Sensación producida en el órgano del oído. ....

Trabajar: **verbo.** Realizar una actividad como profesión. ....

Unir: **verbo.** Juntar dos o más cosas. ....

UNIDAD 2

En tu idioma

¿A dónde...?: Se usa para preguntar la dirección del movimiento. ....

Adiós: Expresión para despedirse. ....

Alegría: **f.** Sentimiento de felicidad. ....

Amarillo/a: **adj.** De color semejante al del limón. ....

Amistad: **f.** Relación de confianza y afecto desinteresado entre las personas. ....

Amor: **m.** Sentimiento que une una persona a otra. ....

Azul: **adj.** De color del cielo sin nubes. ....

Bilingüe: **adj.** Que habla dos lenguas. ....

Blanco/a: **adj.** De color de nieve o leche. ....

Calle: **f.** Vía pública en una población. ....

¿Cómo...?: Se usa para preguntar el modo o la manera. ....

¿Cuál...?: Se usa para preguntar por alguien o por algo entre varios. ....

¿Cuánto/a...?: Se usa para preguntar la cantidad. ....

¿De dónde...?: Se usa para preguntar el lugar del que proviene una persona o cosa. ....

Dedicarse: **verbo.** Indicar la ocupación o profesión. ....

Dependiente/a: **m y f.** Persona empleada para la atención del público. ....

Domicilio: **m.** Dirección, lugar en que uno vive. ....

¿Dónde...?: Se usa para preguntar el lugar donde se lleva a cabo una acción, o en el que está una persona o cosa. ....

Entre: **prep.** Indica la situación entre dos o más cosas o acciones. ....

Español: **m.** Castellano, lengua oficial de España e Hispanoamérica. ....

Esperanza: **f.** Confianza en que ocurrirá o se logrará lo que se desea. ....

Estrés: **m.** Alteración física o psíquica de una persona por exigir demasiado a su cuerpo o mente. ....

Hablar: **verbo.** Pronunciar palabras para comunicarse. ....

Hasta pronto: Fórmula de despedida. ....

Ilusión: **f.** Esperanza. ....

Jardinero/a: **m y f.** Persona que cuida y cultiva un jardín. ....

Más: **adv.** Indica aumento, preferencia o superioridad. ....

Mascota: **f.** Animal doméstico de compañía. ....

Médico/a: **m. y f.** Persona que ejerce la medicina. ....

Menos: **adv.** Indica idea de falta, disminución o inferioridad. ....

Miedo: **m.** Sensación de alerta y angustia por la presencia de un peligro. ....

Origen: **m.** Principio, nacimiento o causa de algo. ....

Peluquero/a: **m y f.** Persona que se dedica profesionalmente a peinar, cortar el pelo, etc. ....

Policía: **f.** Cuerpo encargado del orden público y la seguridad de los ciudadanos. ....

Preferir: **verbo.** Conceder o mostrar preferencia. ....

Profesión: **f.** Actividad que se realiza a cambio de un salario. ....

Profesor/a: **m y f.** Persona que se dedica a la enseñanza. ....

¿Qué...?: Se usa para preguntar algo. ....

Rojo/a: **adj.** Del color del tomate. ....

Tranquilidad: **f.** Estado de paz y armonía. ....

Tristeza: **f.** Pena, aflicción. ....

Verde: **adj.** De color semejante al de la hierba fresca o a la esmeralda. ....

Vivir: **verbo.** Habitar en un lugar. ....

UNIDAD 3

En tu idioma

Abrir: **verbo.** Lo contrario de *cerrar*: tirar hacia afuera una puerta, ventana...

Bilingüe: **adj.** Que domina dos lenguas.

Cenar: **verbo.** Comer por la noche.

Cerca: **adv.** En una posición próxima.

Chalé: **m.** Casa individual con jardín.

Coche: **m.** Vehículo terrestre con motor y ruedas; automóvil.

Comer: **verbo.** 1. Tomar alimentos. 2. Tomar la comida de mediodía.

Desayunar: **verbo.** Tomar por la mañana la primera comida del día.

Ducharse: **verbo.** Lavarse el cuerpo de forma que el agua cae encima.

El día a día: La rutina.

Entrar: **verbo.** Introducirse en un lugar.

Entre: 1. **m.** Nombre del signo matemático / (:); 2. **prep.** En medio de.

Escribir: **verbo.** Representar las palabras con letras en un papel o pantalla.

Igual: 1. **m.** Nombre del signo matemático =; 2. **adj.** Idéntico.

Ir a la cama: Ir a dormir.

Lengua materna: La primera lengua que se aprende de los padres.

Llegar: **verbo.** Alcanzar el destino.

Más: 1. **m.** Nombre del signo matemático +; 2. **adv.** En mayor cantidad.

Menos: 1. **m.** Nombre del signo matemático −; 2. **adv.** En menor cantidad.

Novio/a: **m y f.** Persona que mantiene una relación amorosa con otra y que tiene la intención de casarse o iniciar una vida en común.

Pasar: **verbo.** Transcurrir del tiempo.

Piscina: **f.** Lugar construido para nadar.

Piso: **m.** Vivienda en un edificio.

Por: 1. **m.** Nombre del signo matemático x (·); 2. **prep.** Lugar o tiempo aproximado.

Rutina: **f.** Costumbre que se tiene de hacer algo.

Sílaba: **f.** Sonido o conjunto de sonidos que se pronuncian juntos. Cada una de las partes en que se divide una palabra.

Temprano: **adv.** 1. En las primeras horas del día o de la noche o al principio de un periodo de tiempo. 2. Antes de lo normal.

Tener: **verbo.** 1. Poseer una cosa. 2. Experimentar un sentimiento o una sensación. 3. Indicar la edad.

Tener calor: Sensación del cuerpo cuando la temperatura es alta.

Tener frío: Sensación del cuerpo cuando la temperatura es baja.

Tener hambre: Ganas de comer.

Tener sed: Ganas de beber.

Tener sueño: Ganas de dormir.

Tomar: **verbo.** 1. Comer, beber. 2. Usar un transporte.

Trabajar: **verbo.** Hacer una actividad como profesión.

Universitario/a: **m y f.** Persona que estudia en la universidad.

UNIDAD 4

En tu idioma

Activo/a: **adj.** Enérgico y dinámico.

Afueras: **f. pl.** Alejado del centro.

Alegre: **adj. m y f.** Lleno de alegría.

Alojamiento: **m.** Lugar donde se vive temporalmente.

Alrededor de: **loc. prepos.** En círculo, en torno a algo.

Apartamento: **m.** Vivienda pequeña que forma parte de un edificio.

Armario: **m.** Mueble con puertas y perchas para guardar ropa.

Balcón: m. Saliente descubierto de una vivienda.

Bañera: f. Recipiente que sirve para bañarse.

Baño: m. En una vivienda, pieza con lavabo, retrete, bañera y otros sanitarios.

Barrio: m. Grupo de casas que pertenece a una zona de una población.

Bonito/a: adj. Bello.

Bullicioso/a: adj. Algo inquieto, que no para, que se mueve mucho. Ruidoso.

Butaca: f. Silla de brazos con el respaldo inclinado hacia atrás.

Cama: f. Mueble para dormir o acostarse.

Capital: f. Población principal de un país.

Casa: f. Edificio para vivir.

Catedral: f. Iglesia principal en la que el obispo tiene su sede.

Centro: m. 1. Lo que está en el medio de algo. 2. Zona que tiene mucha actividad comercial.

Cerca: adv. Próximo.

Cine: m. Local o sala donde proyectan películas.

Coche: m. Vehículo.

Cocina: f. Pieza o parte de la casa en la que se hace la comida.

Comedor: m. Parte de la casa donde se come.

Comunicado/a: adj. Lugar con acceso a los medios de transporte.

Comunitario/a: adj. Que pertenece a la comunidad.

Contaminación: f. Acción y efecto de contaminar, alterar nocivamente el medioambiente.

Corazón: m. Centro de algo.

Cortina: f. Tela que cuelga de puertas y ventanas para aislar de la luz.

Cuadro: m. Lienzo, lámina, etc., de pintura.

Debajo: adv. En lugar o puesto inferior.

Derecho/a: adj. Que está situado en el lado opuesto al izquierdo.

Detrás: adv. Contrario de *delante*.

Dibujo: m. Figura de un objeto pintado.

Encima: adv. En lugar o puesto superior.

Enfrente: adv. En el lado opuesto o delante de otro.

Entre: prep. Que está en medio de dos o más cosas.

Escultura: m. Arte de modelar, tallar o esculpir figuras.

Espejo: m. Cristal donde se reflejan los objetos o personas.

Estar: verbo. Hallarse en un lugar o situación.

Exposición: f. Conjunto de artículos expuestos.

Fábrica: f. Establecimiento con la maquinaria necesaria para la elaboración de productos.

Fuera: adv. En la parte exterior de algo.

Habitación: f. Espacio de una vivienda destinado a dormir, comer, etc.

Horno: m. Aparato de cocina que sirve para asar, calentar o gratinar alimentos.

Inodoro: m. Recipiente para hacer las necesidades fisiológicas.

Interesante: adj. Que interesa o que es digno de interés.

Izquierdo/a: adj. Que está situado al lado opuesto al derecho.

Jardín: m. Terreno donde se cultivan plantas.

Junto/a: adj. Unido, cercano.

Lado: m. Cada una de las partes que limitan un todo.

Lámpara: f. Aparato que sirve de soporte a una o varias luces artificiales.

Lavavajillas: m. Máquina para lavar los platos, los vasos, los cubiertos, etc.

Local: m. Sitio cerrado y cubierto.

Lugar: m. Espacio, sitio.

Lujo: m. Abundancia de cosas no necesarias.

Luz: f. Claridad.

Mesilla: f. Mueble pequeño, con cajones, que se coloca al lado de la cama.

Microondas: m. Aparato de cocina que sirve para descongelar, calentar y asar alimentos.

Monumento: m. Obra pública en memoria de una acción heroica u otra cosa singular.

Mucho/a: adj. Abundante.

Mueble: m. Objeto que hay en las casas y otros lugares con el fin de guardar o depositar cosas y enseres.
Museo: m. Lugar en que se guardan colecciones de objetos artísticos de valor cultural.
Nevera: f. Aparato electrodoméstico que produce frío para conservar alimentos.
Nordeste: m. Punto del horizonte entre el Norte y el Este.
Obra: f. Lugar donde se está construyendo algo.
Oscuro/a: adj. Que no tiene luz o claridad.
Parecerse: verbo. Tener semejanza a algo o a alguien.
Parque: m. Jardín con espacios para el recreo.
Peligroso/a: adj. Que tiene riesgo o puede ocasionar daño.
Plancha: f. Electrodoméstico para alisar los tejidos.
Plato: m. Recipiente para servir los alimentos.
Ruido: m. Sonido desagradable.
Rural: adj. Relativo a la vida del campo.
Salón: m. Habitación principal de una vivienda.
Secadora: f. Electrodoméstico que seca la ropa.
Silla: f. Asiento con respaldo con cuatro patas.
Teatro: m. Edificio o sitio destinado a la representación de espectáculos dramáticos.
Televisor: m. Aparato receptor de televisión.
Tenedor: m. Cubierto con púas que sirve para comer alimentos sólidos.
Tienda: f. Casa, puesto o lugar donde se venden al público artículos de comercio.
Tranquilidad: f. Cualidad de tranquilo, apacible.
Turístico/a: adj. Relativo al turismo.
Vaso: m. Recipiente que sirve para beber.
Vela: f. Cilindro de cera que puede encenderse y dar luz.
Ventana: f. Hueco en la pared para dar luz y ventilación.
Zona: f. 1. Parte de terreno o de superficie encuadrada entre ciertos límites. 2. Área.

UNIDAD 5

En tu idioma

Abrigo: m. Prenda de vestir larga que se usa en invierno.
Abuelo/a: m. y f. Padre/Madre del padre/madre respectivo.
Alegre: adj. Que siente felicidad.
Amo/a de casa: m. y f. Hombre o mujer que se ocupa de las tareas de su casa.
Año: m. Periodo de doce meses.
Barbudo/a: adj. Que tiene pelo que sale en la barbilla y laterales de la cara.
Bolso: m. Bolsa de mano para llevar objetos de uso personal.
Bota: f. Zapato alto que cubre parte de la pierna.
Bufanda: f. Prenda larga y estrecha con que se abriga el cuello y la boca.
Cadena: f. Serie de eslabones enlazados entre sí. Se hacen de hierro, plata y otros metales.
Canoso/a: adj. Que tiene muchas canas (pelo blanco).
Castaño/a: adj. De color parecido al marrón claro.
Chupete: m. Objeto con una parte de goma que se da a los niños para chupar.
Claro/a: adj. De color contrario al oscuro, luminoso.
Cool: adj. Anglicismo aplicado a la moda que significa *moderno*.
Corto/a: adj. Que es pequeño en comparación con otros.
Cuñado/a: m y f. Hermano/a del marido o mujer.
Delgado/a: adj. Persona de pocas carnes.
Despistado/a: adj. Persona que no se da cuenta de lo que ocurre a su alrededor o que olvida las cosas.
Diseñador/a: m. y f. Profesión de una persona que diseña, dibuja objetos, ropa...
Divertido/a: adj. Alegre y de buen humor.
Divorciado/a: adj. Persona que se separa legalmente de su pareja.

Estar de moda: Expresión que indica la tendencia o costumbre durante algún tiempo. ....

Gafas: f. pl. Lentes. ....

Goloso/a: adj. Aficionado a comer golosinas y dulces. ....

Gordito/a: adj. dim. Adjetivo que se aplica a las personas con un peso superior a lo normal. ....

Gorra: f. Prenda con visera para cubrir la cabeza. ....

Hablador/a: adj. Que habla mucho. ....

Hermano/a: m. y f. Persona que tiene el mismo padre y la misma madre que otra. ....

Hijo/a: m. y f. Persona respecto de su padre o de su madre. ....

Inteligente: adj. Que tiene inteligencia, persona lista. ....

Jersey: m. Prenda de vestir de punto, cerrada y con mangas, que cubre desde el cuello hasta la cintura. ....

Jubilado/a: adj. Se dice de la persona que ha dejado de trabajar y recibe una pensión. ....

Largo/a: adj. Que tiene longitud. ....

Llevar: verbo. Traer puesta la ropa y complementos. ....

Mayor: adj. comp. Más grande o viejo. ....

Moderno/a: adj. Perteneciente al tiempo actual o a una época reciente. ....

Moreno/a: adj. De color oscuro que tira a negro. ....

Nieto/a: m. y f. Respecto al abuelo/a, es el hijo/a de su hijo/a. ....

Novio/a: m. y f. Persona que tiene una relación amorosa con otra. ....

Oscuro/a: adj. De color que se acerca al negro. ....

Pantalón: m. Prenda de vestir que se ajusta a la cintura y llega generalmente hasta el pie. ....

Pelirrojo/a: adj. Que tiene el pelo de tono rojizo. ....

Pesado/a: adj. Persona insistente en algo. ....

Plano/a: adj. Liso. ....

Raro/a: adj. Poco común. ....

Rizado/a: adj. De forma ondulada. ....

Rubio/a: adj. Con el cabello de color parecido al oro. ....

Separado/a: adj. Persona apartada de su pareja. ....

Serio/a: adj. Persona que no sonríe mucho o que es muy responsable. ....

Simpático/a: adj. Que es agradable. ....

Sobrino/a: m. y f. Hijo/a de su hermano/a, o de su primo/a. ....

Soltero/a: adj. Que no está casado/a. ....

Sombrero: m. Prenda de vestir que sirve para cubrir la cabeza. ....

Tacaño/a: adj. Que le cuesta gastar dinero. ....

Tacón: m. Pieza unida a la suela del calzado que sube el pie. ....

Tímido/a: adj. Poco abierto/a o comunicativo/a. ....

Torpe: adj. Que se mueve con dificultad. ....

Trabajador/a: adj. Muy aplicado/a al trabajo. ....

Vago/a: adj. Poco trabajador/a. ....

Zapato: m. Prenda que sirve para cubrir los pies, calzado. ....

UNIDAD 6

En tu idioma

Agencia: f. Empresa destinada a gestionar servicios ajenos. ....

Autobús: m. Vehículo automóvil de transporte público y trayecto fijo. ....

Aventura: f. Suceso extraño o inesperado. ....

Ayuda: f. Acción y efecto de ayudar. ....

Bici (bicicleta): f. Vehículo de dos ruedas con pedales. ....

Billete: m. Tarjeta que se compra para viajar en un transporte. ....

Bono: m. Tarjeta que se compra para viajar en un transporte durante un periodo de tiempo. ....

Caballo: m. Animal de cuatro patas en el que se puede montar. ....

Cala: f. Playa pequeña. ....

Ciudad: **f.** Conjunto de edificios y calles con más o menos población y que generalmente no tienen actividades agrícolas. ....

Coger: **verbo.** Asir, agarrar o tomar. ....

Cómodo/a: **adj.** Confortable. ....

Contaminante: **adj.** Producto o actividad que altera nocivamente el medioambiente. ....

Costar: **verbo.** Tener un precio por una cosa o servicio. ....

Cruce: **m.** Punto donde se cortan dos calles. ....

Cruzar: **verbo.** Atravesar una calle o vía. ....

Dar las gracias: Agradecer algo a alguien. ....

Gastronomía: **f.** Arte de preparar una buena comida. ....

Girar: **verbo.** Mover una figura o un objeto alrededor de un punto o de un eje. ....

Hay que: Expresión verbal que denota obligación, conveniencia o necesidad de realizar algo. ....

Interesante: **adj.** Algo que interesa a alguien. ....

Ir: **verbo.** Moverse de un lugar hacia otro. ....

Izquierda: **adj.** Que está situado en el mismo lado del corazón. ....

Limpio/a: **adj.** Que no está sucio. ....

Mapa: **m.** Representación geográfica de la Tierra o parte de ella en una superficie plana. ....

Medio/a: **adj.** Referido a la mitad de algo. ....

Mejor: **adj. comp.** Superior en calidad a otra cosa. ....

Metro: **m.** Tren subterráneo. ....

Montaña: **f.** Gran elevación natural del terreno. ....

Necesitar: **verbo.** Tener necesidad de algo o de alguien. ....

Parada: **f.** Lugar donde se espera algún medio de transporte. ....

Pasaporte: **m.** Documento que permite pasar de un país a otro. ....

Peor: **adj. comp.** De inferior calidad. ....

Pie: **m.** Base o parte en que se apoya algo. ....

Plano: **m.** Representación esquemática de un terreno, una población, una máquina, una construcción, etc. ....

Playa: **f.** Ribera del mar o de un río grande, formada de arenales. ....

Puntual: **adj.** Que llega a un lugar a la hora convenida. ....

Rápido/a: **adj.** Que se mueve muy deprisa. ....

Recto/a: **adj.** Que no hace curvas. ....

Rico/a: **adj.** 1. Adinerado. 2. Referido a la comida, sabroso, de buen sabor. ....

Submarinismo: **m.** Conjunto de las actividades que se realizan bajo el mar. ....

Tarjeta: **f.** Papel o cartulina con algo impreso o escrito. ....

Transporte: **m.** Sistema de medios para conducir personas y cosas de un lugar a otro. ....

Tranvía: **m.** Vehículo que circula sobre raíles para transportar viajeros. ....

Vacaciones: **f. pl.** Descanso temporal de una actividad habitual. ....

Viajar: **verbo.** Trasladarse de un lugar a otro a través de un medio de transporte. ....

Viaje: **m.** Traslado por aire, mar o tierra. ....

UNIDAD 7

En tu idioma

A menudo: **loc. adv.** Muchas veces, frecuentemente. ....

Acostarse: **verbo.** Irse a dormir. ....

Alguno/a: **adj.** Se aplica a una o varias personas o cosas respecto a otras, en oposición a *ninguno/a*. ....

Apertura: **f.** Acción de abrir. ....

Aproximadamente: **adv.** Más o menos. ....

Arte: **m.** Conjunto de obras, estilos o movimientos artísticos de un país o una época. ....

Bajo/a: **adj.** De poca altura o situado a poca distancia del suelo. ....

Baño: **m.** Lugar o espacio de la casa donde se realiza la acción de bañarse. ....

Barato/a: **adj.** De bajo precio. ....

Cambiarse: **verbo.** Sustituir la ropa que llevas puesta por otra. ....

Casi: adv. Cerca de, con poca diferencia. ....

Cerrar: verbo. Impedir la entrada con una puerta. ....

Charlar: verbo. Hablar coloquialmente. ....

Cine: m. Local donde se proyectan películas. ....

Comercio: m. Negocio. ....

Conocer: verbo. Saber. ....

Cuento: m. Narración breve de sucesos ficticios o fantásticos. ....

Dejar: verbo. Poner algo en un lugar. ....

Dentro: adv. En el interior. ....

Derecho/a: adj. Recto. ....

Despertador: m. Reloj que, a la hora previamente fijada, hace sonar una campana o timbre. ....

Despertarse: verbo. Interrumpir el sueño. ....

Domingo: m. Día de la semana, después del sábado. ....

Ducharse: verbo. Echarse agua sobre el cuerpo para lavarse. ....

Dueño/a: m y f. Propietario. ....

Económico/a: adj. Barato, poco costoso. ....

Empezar: verbo. Comenzar. ....

***Entrada gratuita*:** Tarjeta que permite asistir a un espectáculo o evento sin pagar. ....

Festivo/a: adj. Periodo en que no se trabaja. ....

***Fin de semana*:** Periodo que se refiere al sábado y domingo. ....

Fuera: adv. Que se encuentra en la parte exterior de un objeto o lugar. ....

Habitual: adj. Por costumbre. ....

Jugar: verbo. Hacer algo para divertirse. ....

Lavarse: verbo. Limpiarse uno. ....

Levantarse: verbo. Ponerse de pie. ....

Libre: adj. Que puede hacer o no hacer algo sin obligación. ....

Limpiar: verbo. Quitar la suciedad. ....

Llamada: f. Acción y resultado de *llamar.* ....

Lunes: m. Día de la semana, entre el domingo y el martes. ....

Martes: m. Día de la semana, entre el lunes y el miércoles. ....

Matinal: adj. Evento o acción que tiene lugar por la mañana. ....

Medianoche: f. Las 00:00 horas. ....

Mediodía: m. Las 12:00 horas p.m. En España el mediodía es la hora de la comida entre las 14:00h-16:00h. ....

Multar: verbo. Imponer una sanción económica. ....

Música: f. Arte de combinar los sonidos de la voz humana o de los instrumentos, o de unos y otros a la vez, para crear un determinado efecto. ....

Nadie: pron. Ninguna persona. ....

Normalmente: adv. Habitualmente. ....

Nunca: adv. En ningún momento, jamás. ....

Organizarse: verbo. Planificar. ....

Oyente: m y f. Persona que escucha. ....

Pintar: verbo. Representar algo en una superficie, con las líneas y colores convenientes. ....

Poco/a: adj. Escaso en cantidad o calidad. ....

Precio: m. Valor monetario. ....

***¡Que pena!*:** Expresión que se usa para lamentarse por algo. ....

Quedar: verbo. Acordar una cita. ....

Querer: verbo. Amar, tener cariño a una persona. Desear. ....

Rato: m. Porción breve de tiempo. ....

Recoger: verbo. Coger algo que se ha caído. ....

Sábado: m. Día de la semana, entre el viernes y el domingo. ....

Salir: verbo. Pasar de dentro a afuera. ....

Saltarse: verbo. No cumplir una ley, reglamento, etc. ....

Sesión: f. Tiempo durante el cual se desarrolla cierta actividad. ....

Siempre: adv. En todo o en cualquier tiempo o momento. ....

Sonar: verbo. Hacer ruido una cosa. ....

Tarea: f. Cualquier obra o trabajo. ....

Teatro: m. Edificio o lugar destinado a la representación de obras dramáticas o a otros espectáculos escénicos. ....

Tiempo libre: Expresión que transmite un periodo de descanso o recreo. ....

Todo: m. Cosa íntegra, o que consta de la suma y conjunto de sus partes integrantes, sin que falte ninguna. ....

Último/a: adj. Se dice de lo que está al final de una serie. ....

Vestir: verbo. Cubrir o adornar el cuerpo con ropa. ....

Vez: f. Cada una de las ocasiones en que algo se hace o se repite. ....

Viernes: m. Día de la semana, entre el jueves y el sábado. ....

Volver: verbo. Regresar. ....

UNIDAD 8

En tu idioma

Almuerzo: m. Comida que se toma a media mañana o a primeras horas de la tarde. ....

Bocadillo: m. Pan cortado con alimentos variados en su interior. ....

Cabeza: f. Parte superior del cuerpo separada del tronco. ....

Carne: f. 1. Parte muscular del cuerpo humano o animal. 2. Alimento. ....

Cena: f. Última comida del día, que se hace al atardecer o por la noche. ....

Cocer: verbo. Cocinar un alimento con agua muy caliente. ....

Copa: f. 1. Bebida o cóctel que se sirve en una fiesta o bar. 2. Recipiente similar a un vaso con pie. ....

Costumbre: f. Hábito, algo que se hace con frecuencia. ....

Cucharada: f. Porción que cabe en una cuchara. ....

Demasiado/a: adj. y adv. En cantidad excesiva. ....

Desayuno: m. Primera comida que se toma en el día al levantarse. ....

Disfrutar: verbo. Gozar, sentir satisfacción. ....

Doler: verbo. Padecer dolor en una parte del cuerpo. ....

Encantar: verbo. Gustar mucho de algo o alguien. ....

Ensalada: f. Plato preparado generalmente a base de hortalizas crudas. ....

Espalda: f. Parte posterior del cuerpo humano, desde los hombros hasta la cintura. ....

Fiebre: f. Elevación de la temperatura normal del cuerpo por una enfermedad. ....

Fiesta: f. Reunión de personas con el fin de divertirse. ....

Fruta: f. Fruto comestible de ciertas plantas. ....

Habilidad: f. Capacidad, inteligencia y disposición para realizar algo. ....

Hábito: m. Costumbre. ....

Hombro: m. Parte superior lateral del tronco, donde nace el brazo. ....

Importar: verbo. Interesar. ....

Informe: m. Conjunto de datos o instrucciones sobre algo o alguien. ....

Interesar: verbo. Tener interés en una persona o cosa. ....

Lavadora: f. Electrodoméstico para lavar la ropa. ....

Merienda: f. Comida ligera que se hace por la tarde. ....

Metódico/a: adj. Hecho con método, ordenado. ....

Nada: adv. Ninguna cosa. ....

Noche: f. Periodo de tiempo comprendido entre la puesta y la salida del sol. ....

Ocio: m. Tiempo libre. ....

Odiar: verbo. Sentir odio o aversión por alguien o por algo. ....

Palillo: m. Palo pequeño o varita empleados para muy diversos usos: comer, por ejemplo. ....

Parecer: verbo. Tener una opinión sobre algo. ....

Pastel: m. Dulce hecho a base de harina, huevos, azúcar y otros ingredientes. ....

Película: f. Obra cinematográfica. ....

Pescado: m. Pez sacado del agua, apto para el consumo. ....

Pierna: f. Extremidad inferior de las personas. ....

Pies: m. Extremidad de la pierna de las personas o pata de los animales que les permite andar. ....

Plancha: f. Placa de metal sobre la que se asan o cocinan alimentos. ....

Plato: m. Recipiente para servir los alimentos y comer en él. ....

Pollo: m. Cría de las aves y particularmente de las gallinas. ....

Postre: m. Fruta o dulce que se sirve al final de una comida. ....

Queso: m. Producto que se obtiene de la leche cuajada. ....

Rápido/a: adj. Veloz, que ocurre muy deprisa. ....

Refresco: m. Bebida no alcohólica que se toma para saciar la sed y refrescarse. ....

Remedio: m. Medicamento para evitar o curar una enfermedad. ....

Resfriado: m. Enfermedad vírica de poca importancia que se caracteriza por la inflamación de las mucosas respiratorias. ....

Reunión: f. Grupo de personas o de cosas. ....

Ruido: m. Sonido confuso más o menos fuerte. ....

Siesta: f. Tiempo destinado para dormir o descansar después de comer. ....

Tarde: f. Espacio de tiempo entre el mediodía y el anochecer. ....

Temprano: adj. Adelantado, que ocurre antes del tiempo normal. ....

Ternera: f. Carne de la cría de vaca que se toma como alimento. ....

Tostada: f. Rebanada de pan dorada al fuego. ....

Variedad: f. Diferencia, diversidad. ....

Vestido: m. Prenda o conjunto de prendas exteriores con las que se cubre el cuerpo. ....

UNIDAD 9

En tu idioma

Abundante: adj. Copioso, en gran cantidad. ....

Amplio/a: adj. Extenso, dilatado, espacioso. ....

Apetecer: verbo. Desear algo, tener ganas de algo. ....

Barra: f. Pieza de pan de forma alargada. ....

Buen provecho: Expresión que se utiliza al principio de una comida. ....

Canapé: m. Aperitivo que consta de una rebanadita de pan sobre la que se ponen otros alimentos. ....

Caña: f. Vaso alto y estrecho de cerveza. ....

Céntrico/a: adj. Que está en el centro. ....

Charlar: verbo. Hablar de manera informal. ....

Cita: f. Día, hora y lugar para encontrarse dos o más personas. ....

Cobrar: verbo. Recibir dinero por algo. ....

Compañía: f. Persona o personas que acompañan a otra u otras. Empresa. ....

Concretar: verbo. Precisar. ....

Contestador: m. Aparato conectado al teléfono que guarda los mensajes. ....

Contundente: adj. Evidente, convincente. ....

Desierto/a: adj. Despoblado, deshabitado. ....

Dieta: f. Régimen de comidas. ....

Divertirse: verbo. Pasarlo bien, entretenerse. ....

Embutido: m. Fiambre, carne fría que se toma habitualmente en lonchas. ....

Escondido/a: adj. Oculto, difícil de encontrar. ....

Está listo/a: Expresión que se usa para decir que una persona está preparada. ....

Estrellado/a: adj. Que tiene forma de estrella. ....

Éxito: m. Resultado feliz de algo. ....

Gratis: adj. Que no tiene coste. ....

Hueso: m. Cada una de las piezas duras que forman el neuroesqueleto de los vertebrados. ....

La cuenta: Expresión que sirve para pedir la factura en un bar o restaurante. ....

Ligero/a: adj. Que pesa poco. Se dice del alimento fácil de digerir. ....

Marchando: **col.** Expresión que utiliza un camarero en un bar al recibir un pedido.

Masivo/a: adj. Muy numeroso, en gran cantidad.

Mensaje: m. Recado de palabra o por escrito que una persona envía a otra.

Molestar: verbo. Causar molestia, incomodidad o fastidio.

Móvil: m. Teléfono portátil.

Ocurrirse: verbo. Pensar o idear algo, por lo general de forma repentina.

Ola: f. Onda formada por el viento en la superficie del mar o de un lago.

Orilla: f. Tierra al lado del agua del mar, de un lago, río, etc.

Pasear: verbo. Ir andando por un lugar como distracción o ejercicio.

Picar: verbo. Tomar pequeñas cantidades de diferentes alimentos.

Pincho: m. Porción de comida que se toma como aperitivo y que a veces se atraviesa con un palillo.

Proponer: verbo. Manifestar o exponer una idea o un plan.

¡Que os aproveche!: Expresión que se utiliza al principio de una comida.

¿Qué te parece?: Pregunta que se realiza para saber la opinión sobre algo o alguien.

Ración: f. Porción de alimento que se reparte a cada persona.

Rebanada: f. Loncha, rodaja, especialmente de pan.

Rechazar: verbo. No aceptar.

Recomendable: adj. Aconsejable.

Regalo: m. Lo que se da a alguien sin esperar nada a cambio, como muestra de afecto o agradecimiento. Obsequio.

Rico/a: adj. f. Se usa para calificar un alimento como bueno.

Sitio: m. Espacio que ocupa alguien o algo o que puede ser ocupado.

Tapa: f. Alimento o aperitivo que se sirve como acompañamiento de una bebida.

Tapeo: m. Consumición de tapas en bares o tabernas.

Tortilla de patata: **f.** Alimento elaborado con huevo batido y patatas.

Tráfico: m. Tránsito de vehículos.

Vacío/a: adj. Falto de contenido.

Ver: verbo. Percibir por los ojos.

UNIDAD 10

En tu idioma

Absoluto: adj. Completo, total.

Año nuevo: **m.** Expresión para indicar el principio de año.

Asiento: m. Silla, lugar para sentarse.

Beneficio: m. Bien que se hace o se recibe.

Bollo: m. Pan dulce de forma redondeada.

Carné de conducir: **m.** Documento que acredita la facultad para ejercer la conducción de vehículos.

Cinturón: m. Correa que ciñe la cintura para ajustar la ropa.

Comunicativo/a: adj. Referido a la persona que expresa con facilidad sus sentimientos, emociones o ideas.

Concienciar: verbo. Hacer que alguien sea consciente y tenga conocimiento de algo.

Consejo: m. Opinión o parecer que se da para hacer o no hacer una cosa.

Débil: adj. De poca fuerza o resistencia.

Descansar: verbo. Cesar o parar el trabajo para reparar fuerzas.

Despegar: verbo. Separarse de la superficie, iniciar el vuelo, especialmente un avión.

Dieta: f. Régimen alimenticio que se tiene que guardar por distintas razones.

Dietista: m. y f. Médico especialista en dietética.

Educación: f. Instrucción por medio de la acción docente.

Encargarse: verbo. Ocuparse de algo o alguien.

Epidemia: f. Enfermedad infecciosa que durante un periodo de tiempo ataca, simultáneamente y en un mismo territorio, a gran número de personas.

Exceso: m. Algo que sale o supera los límites de lo normal o de lo lícito.

Festivo/a: adj. Día no laborable. ....

Ficha: f. Tarjeta de cartón o papel fuerte en que se contiene datos o información. Puede clasificarse. ....

Frito/a: adj. Cualquier alimento cocinado con aceite. ....

Fuerte: adj. Que tiene fuerza y resistencia. ....

Invierno: m. Una de las cuatro estaciones del año que transcurre entre el otoño y la primavera. ....

Letra: f. Signo o figura con que se representan gráficamente los sonidos o fonemas de una lengua. ....

Mandar: verbo. Dar una orden. ....

Mostrador: m. Mesa larga o mueble para presentar la mercancía en las tiendas y para servir las consumiciones en los bares, cafeterías y establecimientos similares. ....

Nacional: adj. De una nación o relativo a ella. ....

Navidad: f. Día en que se celebra el nacimiento de Jesucristo. ....

Nutricionista: m. y f. Médico especialista en nutrición. ....

Obesidad: f. Exceso de peso por acumulación de grasa. Adiposis. ....

Ordenar: verbo. Poner a lgo en orden o de la manera adecuada. ....

Orientar: verbo. Informar a alguien de lo que ignora y desea saber. ....

Otoño: m. Una de las cuatro estaciones del año, que transcurre entre el verano y el invierno. ....

Palomitas: f. pl. Grano de maíz tostado o reventado, que se sala o se endulza para comerlo como aperitivo o como golosina. ....

Pastilla: f. Píldora. Medicamento de forma redondeada. ....

Peso: m. Fuerza con que atrae la Tierra o cualquier otro cuerpo celeste a un cuerpo. Cantidad que pesa una persona o cosa. ....

Primavera: f. Una de las cuatro estaciones del año, que transcurre entre el invierno y el verano. ....

Recomendación: f. Consejo, advertencia.. ....

Reducir: verbo. Disminuir, acortar, debilitar. ....

Reposo: m. Descanso. ....

Sano/a: m. y f. Saludable, bueno para la salud. ....

Sobrepeso: m. Exceso de peso. ....

Solución: f. Hecho de resolver una duda o dificultad. ....

Tontería: f. Dicho o hecho sin importancia. ....

Traducir: verbo. Expresar en una lengua lo que se dice en otra. ....

Traductor/a: m. y f. Que se dedica a la traducción de una lengua a otra. ....

Verano: m. Una de las cuatro estaciones del año que transcurre entre la primavera y el otoño. ....

UNIDAD 11

En tu idioma

***¡Qué casualidad!*:** Expresión exclamativa que se usa para describir una situación que sucede sin haberse previsto, por azar. ....

***A eso de*: locución adverbial.** Referido al tiempo, aproximadamente. ....

***Acabar de* + infinitivo: perífrasis verbal.** Acción que ha sucedido un momento antes de decirse. ....

Amistad: f. Relación entre dos o más personas que tienen gustos afines, y lo pasan bien juntas. ....

***Así que*: locución consecutiva.** En consecuencia. ....

Atasco: m. Mucho tráfico, de modo que no se puede circular. ....

Autodidacta: m. y f. Persona que ha aprendido algo sin ayuda de nadie. ....

Bocadillo: m. Trozo de pan en dos mitades y con algún alimento dentro. ....

Cambiarse: verbo reflexivo. Ponerse otra ropa. ....

Capital: 1. f. La ciudad principal de un país o una zona. 2. **m.** Dinero. ....

Complicado/a: adj. Difícil de entender. ....

Cónsul: m. y f. Persona que trabaja en una ciudad extranjera para ocuparse de manera oficial de las personas de su país que viven en esa ciudad. ....

Cultivar: verbo. Hacer lo necesario para mantener el conocimiento, el trato o la amistad. ....

Diacrítico/a: adj. Que sirve para dar a una letra o a una palabra algún valor diferente. ....

Diario: m. Cuaderno o libro personal en el que se escribe lo que ocurre cada día. ....

Docente: 1. **adj.** Referido a la enseñanza. 2. **m. y f.** Persona que se dedica a la enseñanza, profesor/a. ....

Enfermizo/a: adj. Persona que tiene una salud débil y sufre una o varias enfermedades. ....
Gimnasio: m. Lugar al que se acude para hacer ejercicio físico. ....
Huelga: f. Interrupción del trabajo por parte de los trabajadores con el fin de protestar. ....
Igualitario/a: m.y f. Que pretende la igualdad entre los géneros. ....
Infancia: f. Periodo de la vida humana desde que se nace hasta la adolescencia. ....
***Ir de marcha*:** Salir a divertirse. ....
Largo/a: adj. Que tiene mucha longitud. ....
Metafórico/a: adj. Lenguaje que expresa algo usando una palabra que recuerda el significado de otra. ....
Metro: m. Tren subterráneo que recorre las ciudades. ....
Monumental: adj. Muy grande. ....
Oficina: f. Lugar de trabajo donde se realizan tareas de carácter administrativo. ....
Parentesco: m. Relación de carácter familiar. ....
***Pedir permiso*:** Solicitar faltar al trabajo generalmente con una causa justificada. ....
***Península Ibérica*: f.** Se refiere al territorio que comprende España y Portugal. ....
Poblado/a: adj. Con muchos habitantes. ....
***Realismo mágico*: m.** Corriente literaria del siglo XX desarrollada en Latinoamérica que se propone mostrar lo irreal o extraño como algo cotidiano y común. ....
Reunión: f. Unión de personas para tratar temas de interés común. ....
Sencillo/a: adj. Simple, sin complicaciones. ....
Sobrino/a: m.y f. Relación de parentesco que tiene una persona con los hermanos de su padre o de su madre. ....
***Surrealismo*: m.** Movimiento artístico del siglo XX surgido en Francia y que se caracteriza por intentar expresar cosas de la imaginación y de los sueños. ....
***Vida nocturna*: f.** Expresión que se refiere al ambiente de un lugar por la noche. ....
Vocación: f. Expresión que habla de la atracción que siente una persona por una profesión o actividad. ....

UNIDAD 12

En tu idioma

Aire: m. Mezcla gaseosa que forma la atmósfera de la Tierra. ....
Alrededor: adv. En torno a algo o a alguien. ....
Altitud: f. Altura de un punto de la Tierra con relación al nivel del mar. ....
Anoche: adv. Ayer por la noche. ....
Árbol: m. Arbusto alto que tiene ramas. ....
Ayer: adv. En el día inmediatamente anterior al de hoy. ....
Bailarín/bailarina: m. y f. Persona que practica o se dedica profesionalmente al baile. ....
Bajar: verbo. Ir a un lugar más bajo. ....
Bastón: m. Vara que sirve para apoyarse al andar. ....
Bolso: m. Bolsa de mano para llevar objetos de uso personal. ....
Bosque: m. Gran extensión de árboles. ....
Brusco/a: adj. Descortés, grosero. ....
***Cadena montañosa*: f.** Serie de montañas enlazadas entre sí. ....
Cálido/a: adj. Que da calor. ....
Calor: m. Temperatura corporal o ambiental elevada, superior a la normal. ....
Cantante: m. y f. Persona que se dedica profesionalmente a la canción. ....
Cielo: m. Firmamento. ....
Clima: m. Conjunto de condiciones atmosféricas propias de una zona geográfica. ....
Compositor/a: m. Persona que crea música. ....
Construir: verbo. Edificar. ....
Corbata: f. Lazo que se anuda al cuello. ....
Costa: f. Orilla del mar y tierra que está cerca de ella. ....
Desierto: m. Territorio arenoso, por la falta casi total de lluvias; carece de vegetación. ....
Devoción: f. Veneración y fervor religiosos. ....

Dureza: **f.** Endurecimiento, aspereza.
Enamorarse: **verbo.** Sentir amor hacia una persona.
Entrada: **f.** Billete para entrar a un espectáculo o lugar.
Estación: **f.** Sitio donde habitualmente paran los trenes o el metro.
Este: **m.** Punto cardinal por donde sale el Sol.
Etapa: **f.** Cada uno de los trayectos recorridos entre dos paradas de un viaje.
Fresco/a: **adj.** Que tiene una temperatura moderadamente fría.
Frío/a: **adj.** Que tiene una temperatura muy inferior a la normal.
Gorro: **m.** Prenda de tela o lana para cubrir y abrigar la cabeza.
Grado: **m.** Unidad de medida de la temperatura.
Hambre: **f.** Sensación que indica la necesidad de tomar alimentos.
Impermeable: **m.** Prenda de tejido plástico que no deja pasar el agua.
Impresionante: **adj.** Emocionante, sensacional.
Linterna: **f.** Lámpara portátil.
Lista: **f.** Numeración de personas, cosas, cantidades.
Lluvia: **f.** Precipitación de agua de la atmósfera que cae de las nubes en forma de gotas.
Mañana: **adv.** El día siguiente al de hoy.
Mañana: **f.** Tiempo entre el amanecer y el mediodía.
Media: **f.** Prenda de punto o nailón que llega hasta la rodilla o más arriba.
Menospreciar: **verbo.** Subestimar, despreciar a una cosa.
Miedo: **m.** Angustia por la presencia de un peligro o mal, sea real o imaginario.
Mochila: **f.** Saco o bolsa que se sujeta a la espalda por medio de correas.
Nieve: **f.** Agua helada que cae de las nubes cristalizada en forma de copos blancos.
Norte: **m.** Punto cardinal que cae del lado del polo ártico. Opuesto al Sur.
Nublado: **adj.** Cubierto de nubes.
Ocasional: **adj.** Que no es habitual.
Oeste: **m.** Occidente, punto cardinal. Opuesto al este.
Paisaje: **m.** Extensión de terreno que se ve desde un sitio.
Paraguas: **m.** Utensilio para cubrirse de la lluvia.
Parcialmente: **adv.** Parte de un todo.
Próximo: **adj.** Cercano.
Riesgo: **m.** Proximidad de un daño o peligro.
Río: **m.** Corriente de agua continua y más o menos caudalosa que desemboca en un lago o en el mar.
Suave: **adj.** Liso y agradable al tacto.
Suerte: **f.** Fortuna.
Sur: **m.** Punto cardinal opuesto al norte.
Tormenta: **f.** Tempestad de la atmósfera.
Viento: **m.** Aire.

TRANSCRIPCIONES

UNIDAD 1: ¿QUÉ TAL?

1. Hola, me llamo Carmen Montes.
Mira, este es el doctor Pereira.
Es Alberto Encina.
Ella es la profesora Serrano.
La señora Sonia Gutiérrez es española.
Son Dani y Adrián, y ella es Laura Gil.

2. uve/i/ce/te/o/erre/i/a, jota/u/a/ene/, pe/a/ce/o, ce/a/erre/l/o/te/a, ele/u/i/ese/, de/a/ene/i, eme/i/erre/i/a/eme, ce/a/erre/ele/o/ese.

3. **1.** Sí, de Bilbao, en el norte.
2. Se dice "Hola".
3. Mi nombre es Allan.
4. H-U-A-N-G, Huang, es mi apellido.

4. **Ejemplo:** Hola, chicos, ¿qué tal?

1. ● Buenos días, me llamo Antonio.
○ Hola, yo soy Carmen.

2. ● Mi apellido es Pérez.
○ ¿Cómo se deletrea?

3. ● Le presento a la señora Estévez.
○ Mucho gusto.

4. ● ¿De dónde es Carliños, de Barcelona?
○ No, es brasileño.

5. ● Hola, chicos, ¿qué tal?
○ Hola, muy bien, ¿y tú?

UNIDAD 2: ESTUDIANTE DE PROFESIÓN

5. ● ¿Hola? Buenos días, soy Begoña Cerezo, del periódico *El Nuevo Mundo*. Le voy a hacer unas preguntas para la renovación de la base de datos de suscriptores de nuestro periódico, ¿de acuerdo?
○ Muy bien, dígame.
● Su nombre y apellidos, por favor.
○ Me llamo Koldo Iriarte.
● ¿Es español?
○ Sí, soy del País Vasco.
● ¿Dónde vive?
○ En San Sebastián, en la calle Honiriake, n.º 25, 2.º
● ¿Puede repetir el nombre de la calle, por favor?
○ Sí, claro. Ho-ni-ria-ke: hache, o, ene, i, erre, i, a, ka, e.
● ¿Cuántos años tiene?
○ Tengo 51 años.
● ¿Cuál es su lengua materna?
○ Hablo vasco y castellano, soy bilingüe.
● ¿A qué se dedica?
○ Trabajo en una panadería.
● ¿Tiene mascota?
○ Sí, tengo una gata negra y un perro blanco y negro, un dálmata.
● ¿Cuál es su periodista preferido del periódico?
○ Es Javier San José, escribe los domingos en el suplemento dominical.
● Muchas gracias por su atención y buenos días.
○ A usted.

6. **0.** Tengo frío.

1. ● ¿Dónde trabajas?
○ Soy peluquera.

2. Vivo en la Plaza Real, en el centro de la ciudad.

3. ● ¿Cuál es tu deporte preferido?
○ El tenis.

4. Carlos y Elena son jardineros, tienen una floristería.

5. ● ¿Tienes mascota?
○ Sí, mi perro Lolo, precioso.

UNIDAD 3: EL DÍA A DÍA

7. Hola, me llamo Marta, Marta Jiménez. Vivo en Valencia y estudio Administración de Empresas en la universidad.

Todas las mañanas desayuno cereales, fruta y café y, después, corro por la playa durante media hora. Llego a casa, me ducho, me arreglo y monto en mi bici para llegar a la universidad.

A las dos, más o menos, comemos en la cafetería de la facultad. Luego, antes de volver a clase, mis compañeros y yo tomamos un café.

Por la tarde, estudio en la biblioteca, regreso a casa y ceno.

Los fines de semana trabajo como dependienta en un centro comercial.

8. ¿Qué hacemos los fines de semana? Bueno... Tenemos una casita en el campo y los viernes por la tarde viajamos en coche hasta allí. Antes de llegar, vamos al pueblo y compramos comida para el fin de semana. Por la tarde, paseamos por el bosque que hay cerca de la casa y la noche del sábado cenamos con unos amigos que viven al lado. El domingo por la mañana, mientras yo corro, Lola monta en bicicleta. Después de comer, volvemos a la ciudad. ¡El lunes trabajamos!

UNIDAD 4: ¡BIENVENIDOS A CASA!

9. 1. Es una ciudad situada en la comunidad de Castilla y León entre Madrid y Portugal, tiene la universidad más antigua de España. Actualmente tiene unos 160 000 habitantes. Algunos lugares turísticos son la Casa de las Conchas, la Plaza Mayor, la Catedral Nueva, finalizada en 1733, y la Catedral Vieja de estilo románico.

2. Es la capital. Se encuentra en el centro del país, entre Guadalajara y Acapulco. El español es la lengua oficial. La capital con su metrópoli forma una de las zonas más pobladas de América, con 20 millones de habitantes. Entre sus museos destacan el museo de Antropología, el museo de la Casa Azul de Frida Kahlo y el museo Franz Mayer.

10. Vivo en un segundo piso. Tengo un balcón muy bonito que da a una plaza muy animada. En la plaza hay tiendas, bares y un cine. En el salón hay un sofá, una mesa y un espejo grande. La cocina es pequeña, pero tengo todos los electrodomésticos. Hay dos cuartos de baño. El dormitorio principal no tiene ventana, pero sí tiene un vestidor muy grande para mi ropa.

UNIDAD 5: ¡QUÉ GUAPO!

11.
- ● David, que estás enamorado...
- ○ Todavía no, pero...
- ● ¿Cómo se llama?
- ○ Se llama Cris.
- ● ¿Y cómo es?
- ○ Es rubia, con los ojos color miel.
- ● ¿Es alta?
- ○ No, es un poco bajita, delgada, lleva gafas y el pelo muy corto y tiene pecas.
- ● ¿Y de carácter?
- ○ Es simpática, alegre, habladora, risueña...
- ● ¿Es mayor que tú?
- ○ Tiene 36 años, dos años mayor que yo.
- ● ¿A qué se dedica?
- ○ Pues es cocinera, chef, de un restaurante de lujo.
- ● ¿Está soltera?
- ○ No, está divorciada y tiene un hijo de cinco años, se llama Chema.
- ● ¡Qué bien! ¡Mucha suerte con Cris, David!

12.
1. El jueves compré un jamón de Jabugo.
2. El gato come la galleta.
3. La gente guapa lleva gafas.
4. La guitarra de Germán suena bien.
5. Los girasoles son amarillos.

13. Este es Saverio, es masajista, trabaja en el SPA del hotel.
El que no tiene pelo es Diego.
Kei es japonesa, es muy simpática.
El chico del centro es Antón, es peluquero, come mucho, pero está muy delgado.
Mina es de Irán, es muy trabajadora, es la secretaria del director.
Esta es mi amiga Joana, es inteligente, muy sociable y guapa.
El chico delgado y con gafas es Rino, es el informático.
¿Conoces a Luis? Es español, tiene barba y bigote, es supersimpático.
La chica bajita y rubia se llama Angie, tienen los ojos muy azules.

UNIDAD 6: ¿DÓNDE VAMOS?

14. La agencia de viajes El Águila sale a la calle para preguntar dónde quiere ir la gente de vacaciones.

● "Buenos días, ¿dónde quieren ir de vacaciones este año?

1. ○ ¿Yo?, Pues quiero disfrutar de unos días de vacaciones al lado del mar, voy a ir a Menorca, en las Islas Baleares. Las playas no son muy grandes, yo prefiero las calas pequeñas para disfrutar del mar y del sol. Hay un parque natural también y un ambiente muy relajado.
2. ● Nosotros queremos conocer el sur de España. Vamos a Córdoba, Granada y Sevilla. Preferimos las ciudades con historia para ir de vacaciones y, además, en Andalucía hay una gastronomía muy rica.
3. ○ Mis hijos quieren unas vacaciones de aventura: practicar submarinismo, hacer parapente..., mi marido prefiere pasar unos días tranquilos en plena naturaleza, sin mucha gente, paseos largos... ¿Y yo? Pues yo quiero ir una semana de turismo, a Bilbao, a ver el museo Guggenheim.

15.
1. ¿Cuánto cuesta un billete de avión a Valencia?
2. No, la parada del tren no está lejos.
3. Coge la línea roja hasta el Parque del Retiro.
4. ¿Cómo van ustedes de vacaciones? ¿En avión?
5. Para mí, el coche es el mejor medio de transporte.
6. ¿Prefieres el coche o el autobús?
7. ¿Queréis coger la bici?
8. Porque es más cómodo.
9. Porque prefiere descansar en la playa.
10. ¿Por qué vas en moto?

16. Hola, soy Consuelo y vivo a treinta kilómetros de una gran ciudad, en un pueblo muy bonito de la costa. Mi marido y yo trabajamos en la ciudad y vamos en tren todos los días al trabajo. Mi amiga Marga, que es directora de una escuela, va en coche a trabajar. Juan, su marido, prefiere ir en el autobús, para él es más cómodo porque tiene una parada al lado de su trabajo. Cuando llegamos a la ciudad, mi marido coge el metro hasta su despacho y yo cojo el tranvía y en diez minutos llego a la oficina. ¡Qué suerte tener tantos medios de transporte!

UNIDAD 7: ¡HOY ES MI DÍA!

17. Los lunes el despertador suena a las siete de la mañana. Primero me levanto yo y después se levanta Montse. Montse desayuna mientras yo me ducho. A las ocho yo salgo de casa y voy en metro a la oficina. Montse empieza su trabajo a las dos, y antes, va al gimnasio. Nosotros almorzamos separados, yo como en un restaurante cerca de la oficina y mi mujer en casa. Yo vuelvo a casa sobre las seis, me cambio de ropa y voy al gimnasio. Montse llega a casa sobre las nueve, cenamos juntos y vemos un rato la televisión. Yo me acuesto a las once y Montse a medianoche.

18. ● Multados seis establecimientos en Navarra por abrir los domingos.

El departamento de Consumo del Gobierno de Navarra ha multado este año a seis establecimientos por abrir en domingos y festivos. La normativa en materia de horarios permite plena libertad para decidir los días y las horas que permanecen abiertos al público todos los comercios que disponen de una superficie inferior a 300 metros cuadrados. Por tanto, los seis comercios sancionados disponen de una superficie comercial superior a estos metros y deberán pagar una multa de 3000 euros.

La apertura en domingos de establecimientos comerciales es uno de los temas que provoca la crítica de muchos comerciantes de la ciudad, así como los horarios de apertura y cierre de lunes a sábado.

Son las 8 de la mañana de este frío día de diciembre. Buenos días, oyentes de la Cadena Planeta Abierto. Con esta noticia abrimos nuestro espacio radiofónico matinal y damos paso a las llamadas telefónicas de quienes quieren dar su opinión... ¿Con quién hablo, por favor?

○ Mi nombre es Irache y creo que esto no está tan vigilado como parece porque yo sé de tiendas que abren en festivo. Los domingos se respetan... pero los festivos, ¡ja!, y más cuando hay tantos seguidos. Precisamente, ayer, día 8, la Inmaculada, es festivo, ¿no? Pues abrieron todos los comercios que querían...

● Gracias Irache. Siguiente llamada... ¿Hablamos con...?

○ Hola, yo soy Carmen y trabajo de lunes a sábado de 8 de la mañana a 9 de la noche en una oficina y me va muy bien poder comprar los domingos. Claro que es justo porque si no, ¿cómo lo hacemos?

● Pues esa es la opinión de Carmen de Pamplona. Y la siguiente llamada... Buenos días...

● Buenos días, mi nombre es Iñaqui y soy dueño de una tienda de regalos. Abrimos la tienda de lunes a sábado y pienso que no está bien eso de que muchas tiendas abran los domingos y los días de fiesta. Deben igualar las condiciones para todos los comercios, grandes y pequeños. Yo pierdo mucho dinero... ¡No está bien! ¡Todos tenemos derecho a ganar dinero!

19. Pasado mañana es lunes, es fiesta en Alicante. Me voy a levantar tarde y voy a comer con mis padres.

El martes tengo una reunión con mi jefe a primera hora de la mañana y, por la tarde, como todos los martes, voy al gimnasio de 7 a 9.

El miércoles a mediodía tengo revisión en el dentista, ¡qué pereza!

El jueves he quedado con Nacho para tomar algo después del trabajo.

Por fin, el viernes, me voy de compras. Necesito un par de camisetas, unos vaqueros y zapatos.

El sábado a las diez desayuno con María José en la cafetería de la playa y, después, sobre las doce, tengo que hacer la compra, ¡qué rollo!

Por la noche, cena con amigos. Vamos a casa de Chus, va a hacer una barbacoa en la terraza.

El domingo por la mañana quiero hacer deporte, voy a correr por el parque unos diez kilómetros.

A mediodía el aperitivo con Carlos y Amparo. ¡Um! ¡Qué bien! Y el domingo por la tarde: sofá, periódico y peli.

UNIDAD 8: ¿A CENAR O AL CINE?

20. ● Hola, buenos días, soy Sonia, su terapeuta.

○ Hola, yo soy Diego.

● ¿Qué tal Diego, cómo se encuentra?

○ Pues regular, me duele todo el cuerpo: los pies, las piernas, la espalda, los hombros y un poco la cabeza.

● ¿Está mareado?

○ No, mareado no, pero creo que tengo fiebre porque tengo calor.

● ¿Le duele la garganta?

○ No, no tengo dolor de garganta, pero tengo tos.

● Me parece que está bastante resfriado, es mejor no darle el masaje si tiene fiebre. Le voy a dar una infusión que le va a sentar muy bien.

○ Muchas gracias, Sonia, vuelvo la próxima semana porque me encantan los masajes.

● Muy bien, Diego, lo espero la próxima semana. Tome algo para el resfriado y, si tiene fiebre, un paracetamol.

21. ● ¿Dígame?

○ Hola, buenos días, mi nombre es Claudia López, de la agencia de mercados Silver. Estamos haciendo una encuesta sobre los refrescos del verano. ¿Puede contestar a unas preguntas?

● No tengo mucho tiempo.

○ Son solo cinco minutos.

● Vale.

○ ¿Qué prefiere: los refrescos de naranja, limón o cola?

● Los de naranja y limón me gustan más que los de cola, y prefiero el de naranja al de limón.

○ Los refrescos con gas le gustan: ¿mucho, bastante, poco o nada?

● Los refrescos con gas no me gustan mucho.

○ Prefiere tomar los refrescos, ¿por la mañana, por la tarde, o si sale por la noche?

● Por la mañana me encanta el agua pero, por la tarde, me gusta muchísimo tomar un buen refresco en una terraza, bien frío, y por la noche adoro un refresco de naranja con unas gotitas de vodka, los sábado solamente, ¿eh?

○ Muchas gracias por sus respuestas.

● De nada, buenos días.

UNIDAD 9: NOS VAMOS DE TAPAS

22. **a.** ● Hola, cariño. Te llamo por si te apetece hacer algo este fin de semana. Conozco un bar de tapas riquísimas en el centro y podemos tomarnos unas cañas a muy buen precio. ¿Qué te parece si vamos sobre las nueve? ¿Quedamos en casa? Bueno, ya me dirás.

b. ○ Hola, Mónica. Ya tengo las entradas del concierto de Alaska. ¿Quedamos a las ocho en la esquina del auditorio y tomamos algo antes? El concierto empieza a las nueve. ¿Puedes salir antes del trabajo para no encontrar tráfico? Llámame pronto que tengo que llamar a Ana y a Verónica también para quedar.

c. ● Hola, Montse. ¿Cómo se te ocurre? Yo no puedo pedir al jefe que me deje salir antes para ir a un concierto. ¿Qué tal si nos vemos allí sobre las nueve? Mándame un mensaje al móvil para concretar dónde estáis.

d. ○ Hola. Es que estoy a dieta, lo siento. ¿Y si vamos a pasear por el parque y después preparo yo unas ensaladas ligeras en casa? Te quiero.

e. ○ ¡Pablo! ¡Hola! ¡Cuánto tiempo sin llamarnos! Es que estos días estoy saliendo con un chico y no sé si se va a molestar si quedo contigo. Nos vemos más adelante, ¿vale? Supongo que lo entiendes. Ya te contaré. Estoy superenamorada. Un beso.

f. ● Ana, ¿sabes qué? Montse no va a cenar con nosotras, dice que nos vemos en el auditorio sobre las nueve. ¿Pues qué se cree? ¿Que vamos a estar esperándola y entrando y saliendo para ir a buscarla? ¡Ja! Yo quiero ser puntual y estar en primera fila. ¡Qué morro tiene!

g. ● Buenas, Ester. ¿Vamos al cine un día de esta semana? Hace muchos días que no nos vemos. Te echo de menos. Dime día y hora y te puedo recoger con el coche nuevo. O si te apetece vamos a cenar tranquilitos a uno de esos restaurantes románticos que conocemos tú y yo. ¿Qué te parece?

23. Pena, calle, chico, rayo, voy, llevar, reyes, chamizo, placa, lecho.

24. **1.** ● ¿Y dónde quedamos?
○ En la puerta del cine a las tres.
● Vale, allí estaré.
¿Dónde van a verse?

2. ● ¿Entramos a tomar una cañita y una tapa en este bar?
○ Vale, tengo sed.
¿Dónde entran?

3. ● Me ha escrito Carlos un correo, ¿sabes dónde está?
○ No, cuéntame.
● Pues en una playa paradisiaca.
○ ¡Qué suerte!
¿Dónde está Carlos de vacaciones?

4. ○ Perdone, pero no tengo dinero en efectivo, ¿puedo pagar con tarjeta?
● Por supuesto, señor.
¿Cómo quiere pagar?

5. ○ Luisa, mira qué ropa me he comprado...
● Me encanta el vestido, Lucía, es precioso.
¿Qué le gusta a Lucía?

UNIDAD 10: ¡MAÑANA ES FIESTA!

25. **Locutor:** Buenos días, oyentes de la Cadena "ESTAR". Les habla Perico Piqueras y hoy, 11 de noviembre, se celebra el Día Internacional contra la Obesidad Infantil, y, por este motivo, abrimos el espacio de noticias con este alarmante titular:

"La obesidad infantil ha crecido un 16% entre niños de 6 a 12 años de edad".

Según la Organización Mundial de la Salud (OMS), la obesidad y el sobrepeso han alcanzado carácter de epidemia a nivel mundial. Las cifras asustan. Más de mil millones de personas adultas tienen sobrepeso y, de ellas, al menos 300 millones son obesas.

El crecimiento de la obesidad infantil en España es espectacular y preocupante: si hace quince años el cinco por ciento de los niños españoles eran obesos, esta proporción es ahora del dieciséis por ciento. En la Unión Europea, solo Gran Bretaña nos supera.

Para muchas familias, el tener un hijo gordito es señal de que el niño está bien, fuerte, y lleno de salud. Pero los expertos en nutrición infantil dicen que lo que importa no es que el niño esté gordo o delgado. Lo que interesa es que el niño esté sano. España se ha convertido en el segundo país de la Unión Europea con mayor número de niños con problemas de sobrepeso. Un hecho alarmante en una sociedad que presume de hacer dieta mediterránea, una dieta sana y equilibrada. ¿Qué está pasando?

Con motivo del Día Mundial contra la Obesidad, los expertos insisten más que nunca en la necesidad de unos hábitos saludables entre los más pequeños, tanto en el colegio como en casa, para conseguir reducir el exceso de peso que afecta a más de 45 millones de niños en el mundo.

En nuestro debate matinal contamos con la colaboración de la célebre nutricionista, la señora Teresa León, el doctor Muñoz, autor de libros de éxito, el dietista especializado en alimentación deportiva, Álvaro Díaz, y algunos padres y madres que nos aportan su opinión al respecto, preocupados por las cifras alarmantes de las que les hablábamos.

Buenos días, colaboradores del debate de hoy. Comenzamos con la intervención de la señora Martínez. Adelante...

○ Hola, buenos días, encantada de estar aquí. Yo soy informática y madre de tres hijos, y creo que el problema se puede solucionar prohibiendo la venta de alimentos altos en grasas saturadas en todos los comercios.

● ¡Ni hablar! Perdón por la interrupción tan brusca. Mi nombre es Juan Pérez. Nosotros tenemos un comercio familiar y no estoy para nada de acuerdo con la señora Martínez. El cliente adulto debe seleccionar y orientar al niño, y tiene que tener oferta, variedad y libertad a la hora de elegir.

● Buenos días, soy Teresa León y, como experta, pienso que lo que hay que hacer es concienciar al consumidor sobre los beneficios de la dieta mediterránea. Todo es bueno si no se abusa.

○ Buenos días, soy el doctor Muñoz... Vamos a ver... El consumo de grasas ha aumentado debido a los cambios en la forma de alimentarnos y al consumo de alimentos fritos y de comida rápida. Opino que la falta de tiempo y el ritmo de vida que llevan los padres es la causa del aumento de la obesidad infantil.

○ ¡Bueno, bueno! No lo creo. ¡Que no, que no! ¡Que no somos los padres los responsables de todo lo que les pasa a nuestros hijos!

● ¿Pero qué dice usted...? Soy Julio Alcántara, padre de una niña de 10 años. Estoy muy de acuerdo con el médico y la experta. Opino que muchas madres están muy ocupadas con el trabajo y les dan un bollo a los niños y los ponen a ver la televisión o a jugar en el ordenador. Creo que la mujer debe quedarse en casa, preparar comidas como las de antes y encargarse de su educación.

○ ¡Que no! ¿Pero qué dice? ¿En qué siglo vive usted? Las mujeres de hoy tenemos el derecho y la obligación de trabajar fuera de casa y la educación de nuestros hijos es responsabilidad de padres y madres. ¡Ni hablar! ¡No quiero ni oír tonterías como esta!

● Tiene razón, Isabel, la responsabilidad ha de ser compartida. Perdón, no me he presentado: soy Álvaro Díaz. Yo estoy totalmente de acuerdo con los expertos en alimentación, pero recordemos que los niños deben jugar, hacer gimnasia, correr, ir en bicicleta y no estar en el sofá con los videojuegos o ver la tele todo el día. Pienso que la dieta mediterránea es perfecta si se acompaña de un poco de ejercicio diario.

26. 1. ● Creo que abrir los comercios los domingos está mal.
○ Es verdad, creo que tienes razón.
¿Están de acuerdo?

2. ● Mamá me voy a la cama.
○ Lávate los dientes antes de irte a dormir.
● Vale. Hasta mañana.
¿Qué hace el niño?

3. ● Mañana es el día de los Reyes Magos.
○ Es fiesta en toda España, ¿verdad?
● Sí, claro, el seis de enero, los Reyes traen regalos por la noche a todos los niños.
¿Qué día es?

4. ● ¿Os venís al cine conmigo? No quiero ir sola.
○ Yo no puedo, tengo que trabajar, pero llévate a Juan que está aburrido.
● Vale, vente, Juan.
¿Cuántos van al cine?

5. ● Sonríe, sal al campo con tu familia y disfruta de la vida.
¿Qué consejos le da Ana a su amiga Mónica?

UNIDAD 11: YA HEMOS LLEGADO

27. Esta mañana me he levantado muy temprano para ir a trabajar. Soy profesora de Geografía y tenía un examen con mis alumnos. He desayunado, me he duchado y he salido de casa a las 7 de la mañana. He ido al colegio en autobús. Cuando he llegado, he imprimido unos mapamundis mudos. Me he tomado un café con mis colegas y a las 8 de la mañana ha comenzado el examen. Hemos estudiado las principales cadenas montañosas del mundo, las llanuras y los ríos más importantes. El examen ha consistido en completar el mapamundi con estos datos. Yo creo que todos mis alumnos han hecho bien el examen porque son muy estudiosos y están muy atentos en clase.

28. Aviso 1
El tren con destino Valladolid, ha entrado por la vía 3.

Aviso 2
Se ha perdido una cartera de piel negra con importantes documentos. Si alguien la encuentra, le rogamos que llame al 607 905 340.

Aviso 3
Los que han terminado el examen, pueden salir.

Aviso 4
El supermercado Alfredo ha abierto un nuevo centro en Gran Vía, 43. Recuerde que no cerramos a mediodía.

Aviso 5
Ha salido a la venta el libro *Cantares*. No te quedes sin él. El autor firmará ejemplares el próximo 24 de junio en la librería Cervantes.

Aviso 6
El parque de atracciones ha cerrado sus puertas hasta la próxima temporada.

UNIDAD 12: VIAJA CON NOSOTROS

29. Nuestro grupo de amigos salió el 21 de abril de Roncesvalles, punto de partida del llamado "Camino francés". Desde Roncesvalles a Santiago de Compostela, final del camino, hay 790 kilómetros. El primer día recorrimos 11 kilómetros, hasta Biskarret, un pueblo pequeño y bonito. Al lado de Biskarret está el bosque de Irati con un paisaje precioso lleno de árboles y un río. La segunda etapa fue hasta Larrasoaña. Durante la etapa nos comimos un bocadillo de chistorra riquísimo en Zubiri. Dormimos en un hotelito precioso en un pueblo de ocho habitantes. El día 24 llegamos a Pamplona. El paisaje desde Roncesvalles a Pamplona es impresionante, lleno de árboles centenarios, campos verdes y flores.

Tuvimos mucha suerte con el tiempo, solo llovió un poquito el último día y no hizo frío ni viento.

Es importante ir bien preparados: llevar unas buenas botas, calcetines gordos, un bastón, un impermeable por si llueve, una gorra, una linterna y una mochila ligera.

El próximo año vamos a hacer otras etapas y, poco a poco, vamos a acercarnos al destino final: Santiago de Compostela.

30. ○ Hola, Lupe, ¡ya estoy aquí! ¡Por fin!

● Hola, Inma. ¿Dónde estuviste? No sé nada...

○ Pues el viernes pasado llegué del viaje a Tenerife. Aquel que me regalaron mis hijos por mi cumpleaños, ¿te acuerdas? Pues eso... ¡Ay, qué precioso, pero nos hizo un tiempo más malo... Llovió todos los días... Y eso que dicen que en Tenerife siempre están a 35 grados por lo menos y que siempre hace sol. Como me dijeron que el norte es más caluroso que el sur, mi hijo y yo nos fuimos para el norte a tomar el sol. Sí, sí... Viento, frío, tormentas... Vamos que como en casa en ningún sitio.

● ¡Qué raro!

○ Y de la comida, ni te hablo, unas frutas más raras... Eso sí, plátanos por todas partes. ¡Ah! Y las playas con agua muy, muy fría, ni los pies pude meter.

● ¿Y visitasteis algún lugar de interés?

○ ¡Claro! Fuimos a la montañita esa de El Peine y no estuvo mal... Es un volcán. Pero nos explicaron que hay vientos muy fuertes que son los vientos elíseos que hacen el clima muy frío...

● ¡Ay! ¡Qué mala suerte!

31. Uy, Pamplona, qué ciudad tan bonita y llena de encanto. No es una ciudad muy grande, tiene unos doscientos mil habitantes y pertenece a la Comunidad de Navarra. En general el clima es agradable, pero abundan las lluvias. Es, sobre todo, una ciudad llena de vida, con mucha gente joven y buen ambiente. Tiene, además, muchas zonas verdes y amplios jardines. En el centro de la ciudad está la plaza del Castillo y, al lado, las calles donde se pueden tomar unas tapas riquísimas. La calle Estafeta es famosa porque por ella corren los toros en la fiesta más importante de Pamplona, Los Sanfermines, el siete de julio. Ven a conocer Pamplona, te encantará.

SOLUCIONARIO

UNIDAD 1: ¿QUÉ TAL?

1. **Saludos:** Hola, ¿Qué tal?, Buenas tardes, Buenos días, ¿Cómo estás? **Despedidas:** Hasta mañana, Hasta luego, Adiós.

2. 1. **Muy bien, gracias** → Hola, ¿qué tal?; 3. **Buenas noches** → Buenas, ¿cómo/qué tal está?; 5. **Somos Javi y Carlos, ¿y vosotras?** → ¿y tú?

3. **Nombres:** Carmen, Alberto, Sonia, Dani, Adrián, Laura. **Apellidos:** Montes, Pereira, Encina, Serrano, Gutiérrez, Gil.

4. 1. r; 2. v; 3. c; 4. ñ; 5. t; 6. s; 7. z; 8. p.

5. Victoria, Juan, Paco, Carlota, Luis, Dani, Miriam, Carlos.

6. 1. Bartolomé; 2. Roberto; 3. Pablo; 4. Elena; 5. Fernando; 6. Begoña; 7. Marta; 8. Nazaret.

7. **Singular:** yo, tú, vos, él, ella, usted. **Plural:** nosotros, nosotras, vosotros, vosotras, ellos, ellas, ustedes.

8. 1. te, Me; 2. se, Se; 3. se, Se; 4. os, Nos.

9. 1. es; 2. Es; 3. soy, eres; 4. somos; 5. son; 6. eres; 7. sois.

10. 1. b; 2. d; 3. c; 4. a; 5. f; 6. g; 7. h; 8. e.

11. 1. Dr.; 2. Dra.; 3. Sr.; 4. Sra.; 5. Sres.; 6. Sras.; 7. Profa.; 8. Prof.

12. 1. ¿verdad/no?; 2. ¿Cómo se dice...?; 3. ¿... te llamas?; 4. ¿...deletrearlo...?

13. **Respuesta abierta.**

14. 1. me llamo; 2. soy; 3. Soy; 4. se llama; 5. es; 6. Es; 7. son; 8. Se llaman; 9. es; 10. se llama; 11. es; 12. se llaman; 13. son.

15. **Respuesta abierta.**

16. 1. I; 2. E; 3. F; 4. D; 5. H; 6. J.

17. 1. b; 2. b; 3. a; 4. a; 5. c.

18. **Posible respuesta.**

Profesor: Hola, buenos días.

Usted: Buenos días.

Profesor: ¿Qué tal está?

Usted: Muy bien, gracias, ¿y usted?

Profesor: ¿Cómo se llama?

Usted: Me llamo Jonathan Green.

Profesor: Perdone, ¿puede deletrear su apellido, por favor?

Usted: Sí, claro: ge-erre-e-e-ene, Green.

Profesor: Gracias.

Usted: De nada.

Profesor: ¿De dónde es?

Usted: Soy inglés.

Profesor: ¿Habla un poco de español?

Usted: Sí, un poco.

Profesor: Siéntese aquí, con Harima.

Usted: Gracias.

Profesor: De nada.

19. **Posible respuesta.**

Harima: Hola, me llamo Harima Manzur.

Usted: Hola, ¿qué tal? Yo soy Jonathan Green.

Harima: ¿De dónde eres, Jonathan?

Usted: Soy inglés, de Londres, ¿y tú?

Harima: Yo soy marroquí, de Casablanca.

Usted: ¿Qué lenguas hablas?

Harima: Hablo árabe, francés y un poco de español, ¿y tú?

Usted: Yo hablo inglés, alemán y un poco de español también.

UNIDAD 2: ESTUDIANTE DE PROFESIÓN

1. 1. BUERTA → puerta; 2. POTULADOR → rotulador; 3. AMARILLE → amarillo; 4. POLIO → folio; 5. ISTUDIANTE → estudiante; 6. TREZ → tres; 7. POZARRA → pizarra; 8. BULÍGRAFO → bolígrafo; 9. CISCO → cinco.

2. profesión.

3. **Nombre:** Koldo Iriarte; **Nacionalidad:** española; **Dirección:** Honiriake, n.º 25, 2.º; **Edad:** 51 años; **Lengua:** vasco y castellano; **Profesión:** trabaja en una panadería, es panadero; **Mascota:** una gata negra y un perro blanco y negro, un dálmata; **Periodista preferido:** Javier San José.

4. **Posible respuesta.**

Secretaria: Hola, buenos días. ¿Qué desean?

Tú y tu amigo: Somos dos amigos que queremos trabajar una temporada.

Secretaria: ¿Cómo se llaman ustedes?

Tú y tu amigo: Peter y Albert.

Secretaria: ¿De dónde son?

Tú y tu amigo: De Nueva York.

Secretaria: ¿Cuántos años tienen?

Tú y tu amigo: 24 y 25.

Secretaria: ¿Cuál es su domicilio en Barcelona?

Tú y tu amigo: Calle Aribau, n.º 53, 2.º1.ª.

Secretaria: ¿Cuánto tiempo van a estar aquí?

Tú y tu amigo: 9 meses.

Secretaria: ¿Qué lenguas hablan?

Tú y tu amigo: Inglés, español y un poco de italiano.

Secretaria: ¿A qué se dedican normalmente?

Tú y tu amigo: Somos periodistas.

Secretaria: ¿De qué quieren trabajar?

Tú y tu amigo: En algún periódico, pero si no es posible de camareros o dependientes...

Secretaria: ¿Me dicen un número de teléfono?

Tú y tu amigo: 93 537 43 89.

Secretaria: Gracias y ya les llamaremos. Adiós y hasta pronto.

Tú y tu amigo: Adiós, gracias.

5. 1. El; 2. La; 3. El; 4. El; 5. El; 6. El; 7. La; 8. La; 9. El; 10. El/La; 11. El; 12. El; 13. La; 14. La; 15. El/La.

6. 1. Los días; 2. Las clases; 3. Los treses; 4. Los bolígrafos; 5. Los mapas; 6. Los perros; 7. Las canciones; 8. Las madres; 9. Los problemas; 10. Los/Las estudiantes; 11. Los planos; 12. Los lunes; 13. Las papeleras; 14. Las yeguas; 15. Los/Las artistas.

Hay dos sustantivos que no cambian: tres y lunes.

7. 1. el; 2. miércoles; 3. niño; 4. rojos; 5. la; 6. lápices; 7. estrés; 8. grande.

8. 1. *Rojo*, masculino, singular; 2. *Grande*, masculino y femenino, singular.

9. y **10.** 1. la escuadra; 2. el cartabón; 3. las tijeras; 4. la regla; 5. el pegamento; 6. el transportador; 7. las pinturas; 8. los libros; 9. el compás; 10. el bolígrafo; 11. el lápiz; 12. la paleta/las acuarelas; 13. el cuaderno; 14. la pizarra; 15. la mochila.

11. 1. H; 2. C; 3. A; 4. B; 5. D; 6. E; 7. F; 8. G.

12. 2. Persona que cura a enfermos y trabaja generalmente en un hospital; 3. Persona que ayuda al médico y trabaja generalmente en un hospital; 4. Persona que se encarga de cuidar las plantas, trabaja en comunidades y jardines; 5. Persona que diseña edificios. Trabaja, generalmente, en un estudio de arquitectura; 6. Persona que atiende a los clientes en un establecimiento; trabaja en una tienda o en un supermercado.

13. 1. Cómo; 2. A qué; 3. Cuántos; 4. Dónde; 5. Qué; 6. De dónde.

14. **Posibles preguntas.** 1. ¿Cómo se llama?; 2. ¿De dónde es?; 3. ¿Con quién vive?; 4. ¿Dónde vive?; 5. ¿A qué se dedica?; 6. ¿A qué se dedica la hija?; 7. ¿Cuántos años tiene?; 8. ¿Tiene mascotas?; 9. ¿Dónde está la casa?; 10. ¿Qué lenguas hablan Susana y la hija?

15. A. 14; B. 7; C. 4; D. 10; E. 13; F. 3; G. 6; H. 9; I. 12; J. 2; K. 5; L. 1; M. 8; N. 11.

16. 1. F (Cataluña está en el noreste de España); 2. F (En Madrid se habla español); 3. F (Hay cuatro lenguas oficiales: español, catalán, gallego y vasco o euskera); 4. V; 5. F (Sevilla está en el sur de España); 6. F (En las Islas Baleares se habla mallorquín –catalán– pero no gallego).

17. 1. c; 2. a; 3. d; 4. b; 5. c.

18. 1. B; 2. D; 3. E; 4. F; 5. G.

UNIDAD 3: EL DÍA A DÍA

1. 1. escribir; 2. desayunar; 3. leer; 4. beber; 5. abrir; 6. nadar.

2. **Primera conjugación, verbos en** –ar: desayunar, nadar; **Segunda conjugación, verbos en** –er: leer, beber; **Tercera conjugación, verbos en** –ir: escribir, abrir.

3. **Respuesta abierta.**

4. 1. d; 2. e; 3. f; 4. b; 5. c; 6. a.

5. 1. pronombre; 2. sujeto. **Algunos ejemplos de verbos reflexivos son:** *acostarse, levantarse, ducharse, lavarse, llamarse, bañarse...*

6. 1. me levanto; 2. te duchas; 3. se llaman; 4. se baña; 5. os acostáis.

7. **Respuesta abierta.**

8. 1. V; 2. F, Corre después de desayunar; 3. V; 4. F, Los fines de semana trabaja de dependienta en un centro comercial; 5. F, Estudia en la biblioteca, regresa a casa y cena.

9. 1. me llamo; 2. Vivo; 3. estudio; 4. desayuno; 5. corro; 6. Llego; 7. me ducho; 8. me arreglo; 9. monto; 10. comemos; 11. tomamos; 12. estudio; 13. regreso; 14. trabajo.

10. **Respuesta abierta.**

11. **TENER:** tengo, tienes, tiene, tenemos, tenéis, tienen; **HABLAR:** hablo, hablas, habla, hablamos, habláis, hablan. **TRABAJAR:** trabajo, trabajas, trabaja, trabajamos, trabajáis, trabajan. **Los intrusos son:** -aron; -é; -ís; -on; -aste.

12. 1. Mi compañero de clase tiene veintidós años; 2. El jardín está muy verde; 3. Las amapolas son rojas; 4. La luna es blanca y el sol es amarillo.

13. 1. S; 2. E; 3. S; 4. S; 5. P; 6. P; 7. E; 8. P.

14. 2. Tiene hambre; 3. Tiene sueño; 4. Tiene frío.

15. 1. b; 2. e; 3. f; 4. d; 5. g; 6. j; 7. i; 8. h; 9. a; 10. c.

16. **Primera columna:** 89; 17; 39; **Segunda columna:** cuarenta y tres; catorce; quince.

17. 1. J; 2. C; 3. I; 4. H; 5. A; 6. D.

18. 1. coche; 2. campo; 3. comida; 4. bosque; 5. amigos; 6. domingo; 7. ciudad.

UNIDAD 4: ¡BIENVENIDOS A CASA!

1. 1. Salamanca; 2. México D.F.

2. CALLE/BARRIO: cine, hotel, librería, zapatería, banco, farmacia, teatro.
CASA: dormitorio, cocina, terraza, cuarto de baño, habitación, salón, estudio.
OBJETO/MUEBLE: frigorífico, plancha, mesilla, lavadora, cama, sofá, espejo.

3. 1. está; 2. está; 3. hay; 4. hay; 5. están; 6. hay; 7. están; 8. está; 9. hay; 10. hay; 11. hay; 12. está.

4. En mi casa hay tres habitación, un cocina, dos baños, un salón comedor y el balcón. La cocina hay al lado del balcón. Un baño es mucho grande y el otro pequeño. En el salón y el balcón hay las plantas. Enfrente de el balcón hay el mar y a el lado, el balcón de mi vecino.
Habitaciones, una, un, está, muy, Ø, del, está, al.

5. 1. entre…y…; 2. debajo de; 3. encima del; 4. detrás de; 5. a la izquierda; 6. al lado de; 7. enfrente del; 8. a la derecha del.

6. 1. muy; 2. mucho; 3. mucha; 4. muchos; 5. muchas; 6. pocos; 7. pocas; 8. poca; 9. muy; 10. pocos; 11. muy; 12. muy.

7.

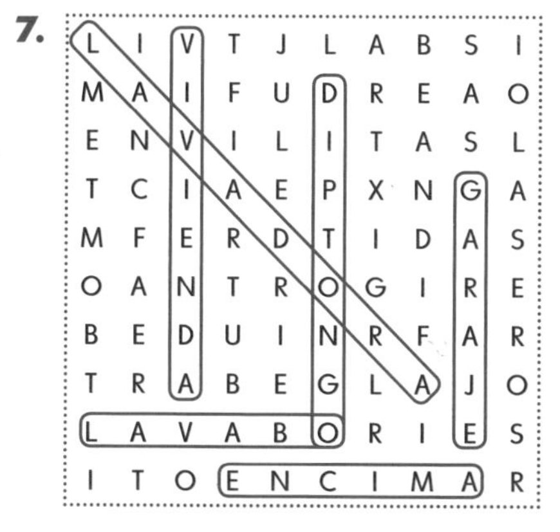

1. garaje; 2. lavabo; 3. diptongo; 4. vivienda; 5. encima; 6. lavadora.

8. 1. Tipo de vivienda: apartamento; Habitaciones: dos dormitorios, un baño y una cocina; Metros cuadrados: 60; Localización: centro de Nueva York; Electrodomésticos: frigorífico, lavadora y secadora; 2. Tipo de vivienda: casa rural; Habitaciones: cuatro dormitorios, una sala de estar, tres baños y una cocina; Metros cuadrados: 400; Localización: Valle del Jerte; Electrodomésticos: lavadora, televisión y lavavajillas.

9. 1. h; 2. f; 3. g; 4. a; 5. c; 6. d; 7. b; 8. e.

10. 1. a. Sí, hay dos, están encima de los lavabos; b. A la derecha del baño/Enfrente de los lavabos; c. Sí, una bañera y lámparas; 2. a. Una cama, dos mesillas de noche, dos lámparas, dos cuadros y un sillón; b. A la derecha y a la izquierda/a los lados de la cama; 3. a. Un sofá, dos sillones, dos mesas, dos mesitas, dos lámparas, una ventana y dos cuadros; b. Encima de las mesitas/A la derecha y a la izquierda del sofá; c. Cinco; 4. a. Una vitrocerámica, un horno, un fregadero, muebles de cocina, una ventana, una mesa, sillas y una planta. b. El horno está debajo de la vitrocerámica y el fregadero a la izquierda de la cocina.

11. 1. ensaimada; 3. caucásico; 4. pauta; 5. flauta; 7. veinte; 8. diente; 9. Ceuta; 11. insinuar; 12. piar; 14. cuatro; 16. nuevo; 17. piano; 20. cielo.

12. 1. D; 2. A; 3. C; 4. E; 5. H; 6. G.

13. 1. b; 2. c; 3. b; 4. b; 5. c.

UNIDAD 5: ¡QUÉ GUAPO!

1. No, es rubia; 2. Delgada; 3. Muy corto; 4. Es simpática, alegre, habladora, risueña…; 5. 36 años; 6. Es cocinera, chef, de un restaurante de lujo; 7. No, está divorciada; 8. El hijo de Cris; 9. Cinco años.

2. 1. lleva/tiene; 2. tiene; 3. es; 4. Lleva; 5. lleva; 6. Lleva; 7. es; 8. tiene; 9. es; 10. tiene; 11. llevan; 12. lleva; 13. lleva.

3. Posible respuesta. 1. Se llevan los bolsos muy grandes con cadenas o adornos de metal; 2. Se llevan los vestidos cortos y sencillos, pero con tacones altos y complementos, como un collar de perlas o un bonito broche; 3. Se llevan mucho los pañuelos y las bufandas de tonos vivos, para dar color a los días grises del invierno; 4. Los más *cool* de esta temporada son los pantalones muy estrechos, pero si no te gustan también se llevan los pantalones muy anchos; 5. Sí, se llevan mucho los sombreros de hombre en paja; 6. Se llevan los abrigos cortos y las gabardinas para los días de lluvia.

4. 1. hijo; 2. madre; 3. hijos; 4. hermana; 5. hermana; 6. tías; 7. abuelo.

5. DESCRIPCIÓN FÍSICA: gordo, guapo; DESCRIPCIÓN DE CARÁCTER: vago, goloso, paciente, inteligente, pesada, habladora, raras, despistado, simpático, divertido.

6. Posible respuesta. ADJETIVOS POSITIVOS: guapo, paciente, inteligente, simpático, divertido; ADJETIVOS NEGATIVOS: gordo, vago, goloso, pesada, habladora, raras, despistado.

7. Posible respuesta. Marge es alta y delgada. Tiene los ojos y la boca grandes y es un poco fea. Tiene el pelo rizado y largo y lo lleva peinado hacia arriba. Lleva un vestido largo y estrecho y un collar de perlas.

8. 1. jamón; 2. galleta; 3. gafas; 4. guitarra; 5. girasoles.

9. 1. compañero, vecino, amigo; 2. gafas, serio, alegre; 3. barbudo, pelirrojo, canoso.

10. 1. e; 2. h; 3. c; 4. d; 5. b; 6. i; 7. f; 8. a; 9. j; 10. g.

11. **Posible respuesta.** Es un chico delgado, tiene el pelo corto, moreno y liso, tiene los ojos marrones, es guapo y parece simpático, sociable y alegre.

12. **Posible respuesta. Foto 1:** Son una familia. El padre, la madre y los dos hijos. El padre tiene el pelo corto y liso y lleva una camisa clara. La madre tiene el pelo castaño, largo y liso y lleva un jersey blanco. Los dos hijos son rubios y tienen el pelo liso y los ojos claros. La niña es mayor que su hermano; **Foto 2:** Son una familia. La abuela, la hija y la nieta. La abuela tiene el pelo corto y blanco y lleva una camisa clara. La madre es castaña y tiene el pelo largo y liso, lleva una camiseta de manga corta. La niña también tiene el pelo castaño, largo y liso y lleva una camiseta de rayas.

13. 1. c; 2. c; 3. d; 4. a; 5. b.

14. 1. C; 2. J; 3. K; 4. G; 5. L; 6. F; 7. B; 8. I.

UNIDAD 6: ¿DÓNDE VAMOS?

1. **MEDIOS DE TRANSPORTE:** parada, caballo, pie, tren, tranvía, bici, billete, un bono de 10 viajes, metro; **INFORMACIÓN ESPACIAL:** a la izquierda, todo recto, a la derecha, plano, siga recto, cruce, mapa; **INTRUSOS:** televisión, dormitorio, estrés, buenos días.

2. **QUERER:** quiero, quieres, quiere, queremos, queréis, quieren; **PREFERIR:** prefiero, prefieres, prefiere, preferimos, preferís, prefieren; **NECESITAR:** necesito, necesitas, necesita, necesitamos, necesitáis, necesitan.

3. 1. d; 2. g; 3. e; 4. f; 5. k; 6. a; 7. c; 8. h; 9. b; 10. i; 11. j.

4. 1. B; 2. A; 3. E; **Fotos intrusas:** C y D.

5. 1. Vamos; 2. coger; 3. vamos; 4. a; 5. prefiero; 6. en; 7. prefieres; 8. voy; 9. en; 10. a; 11. va; 12. a; 13. vamos; 14. en; 15. vais; 16. en; 17. a; 18. cogemos.

6. **Anuncio coche superdeportivo:** superdeportivo, biplaza, moderno, vanguardista, estética, similar, rojo, negro, combinados, original; **Anuncio coche monovolumen:** monovolumen, grandes, suave, dinámica, pequeños, infantiles, integrados.

7. **Posible respuesta.** 1. Yo prefiero el coche monovolumen porque es cómodo, amplio y seguro; 2. Es mejor el coche monovolumen porque es más seguro y ecológico; 3. Es peor el coche superdeportivo porque es caro, peligroso y más contaminante.

8. **DATOS DEL CLIENTE. Nombre y apellidos:** David Fuentes; **Documento Nacional de Identidad:** 43706689 S; **Domicilio:** c/ San Fernando, 6; **Código postal:** 41004; **Población:** Sevilla; **País:** España. **DATOS DEL BILLETE. Lugar de origen:** Sevilla; **Lugar de destino:** Madrid; **Número de asiento:** 037 (coche 2); **Fecha y hora de salida:** 05/01 a las 14:10; **Fecha y hora de llegada:** 05/01 a las 16:25.

9. 1. ¿Cuánto cuestan este billete de metro? → cuesta.
   2. Para mí lo más bueno es coger el metro. → mejor.
   3. Voy a mi casa todos los días en pie. → a.
   4. Ir en bicicleta por la ciudad es muy contaminante. → peligroso/ecológico.
   5. Viajar es bonito porqué conoces gente. → porque.

10. 1. I; 2. E; 3. E; 4. I; 5. E; 6. I; 7. I; 8. E; 9. E; 10. I.

11. 1. barato; 2. costar; 3. Identidad; 4. en; 5. preferir; 6. gracias; 7. hotel; 8. ir; 9. juego; 10. ka; 11. limpio; 12. mejor; 13. no; 14. compañero; 15. ocio; 16. peor; 17. pequeño; 18. rápido; 19. sol; 20. trabajo; 21. uno; 22. va; 23. Washington; 24. México; 25. yo; 26. zapatos.

12. 1. F; 2. A; 3. I; 4. B; 5. J; 6. G.

13. 1. tren; 2. directora de una escuela; 3. en coche; 4. una parada; 5. en metro; 6. tranvía; 7. diez minutos.

UNIDAD 7: ¡HOY ES MI DÍA!

1. 1. E; 2. D; 3. B; 4. A; 5. C. **Frases trampa:** 1. Toda la familia come delante del televisor; 3. La chica se despierta a las seis y veinte de la mañana; 5. Los domingos es muy agradable desayunar en la cocina/en el comedor.

2. **Posible respuesta.** Quiero, quieres, quiere, queremos, queréis, quieren; Encuentro, encuentras, encuentra, encontramos, encontráis, encuentran.

3. 1. suena; 2. me levanto; 3. se levanta; 4. desayuna; 5. me ducho; 6. salgo; 7. voy; 8. empieza; 9. va; 10. almorzamos; 11. como; 12. vuelvo; 13. me cambio; 14. voy; 15. llega; 16. cenamos; 17. vemos; 18. me acuesto.

4. 1. Los tres son verbos con irregularidad vocálica (E>IE) en todas las personas excepto *nosotros* y *vosotros*; 2. *Levantarse*, *acostarse* y *dormirse* son reflexivos y *levantar*, *empezar* e *ir* no; 3. Todos tienen la primera persona del singular irregular.

5. **Adverbios y expresiones de frecuencia:** siempre, casi nunca, casi siempre, una vez, normalmente, a menudo, pocas veces, todos los días, muchas veces, nunca, algunas veces; **Adverbios y expresiones de cantidad:** un dos por ciento, muchos, todos, pocos, muy pocos, nadie.

6. siempre/todos los días, habitualmente/a menudo, muchas veces, algunas veces, pocas veces, muy pocas veces, casi nunca, nunca.

7. 1. ¿A qué hora abre la tienda?; 2. ¿Qué hora es?; 3. ¿Tiene/tienes hora?; 4. ¿A qué hora sale el autobús?; 5. ¿Cuál es el horario de la exposición?;

6. ¿Cuándo abren?; 7. ¿Qué día cierran los museos?

8. 1. V; 2. F (Iñaqui abre la tienda de lunes a sábado); 3. F (Carmen trabaja de 8 de la mañana a 9 de la noche); 4. V; 5. V.

9. **Diálogo 1.** 1. A las once de la noche; 2. En la sala La Luna y la Ciruela, cerca de la parada de metro de Rocafort; 3. A las doce de la noche; 4. Nada, la entrada es libre; **Diálogo 2.** 1. En el MNAC; 2. Piscolabis, 3. cincuenta céntimos; 4. museo; **Diálogo 3.** 1. podemos ir al cine por 3 euros o al restaurante Piscolabis a comer tapas por 50 céntimos; 2. además de estas ofertas también podemos ver una exposición gratuita de fotografías de la Guerra Civil en el MNAC; 3. podemos ir al cine o la exposición de fotografía; 4. podemos ir al cine, al restaurante Piscolabis, a la exposición de fotografía y a ver una obra de teatro por 5 euros; 5. Podemos ir al cine, al restaurante, al teatro, al MNAC y a una fiesta de máscaras por la noche con entrada libre; 6. podemos ir también al cine, al restaurante, al teatro, al MNAC, a la fiesta de disfraces y a un concierto de Los Escarabajos por 10 euros; 7. domingo podemos ir al cine, al concierto, al teatro, al restaurante y a la exposición de fotos.

10. 1. Diego se levanta a las siete; 2. Se ducha, desayuna y se viste; 3. Sale a trabajar a las ocho; 4. Coge el metro a las ocho y diez; 5. Trabaja en la oficina de ocho y media a seis y media; 6. Vuelve a casa y se cambia; 7. Va al gimnasio de siete a nueve o queda con amigos; 8. Cena a las diez y media y se acuesta entre las doce y media y la una.

Rutina: Diego se levanta a las siete en punto de la mañana. A continuación se ducha, desayuna y se viste. Después sale a trabajar a las ocho, coge el metro a las ocho y diez y trabaja en la oficina de ocho y media de la mañana a seis y media de la tarde. Por la tarde, después del trabajo, vuelve a casa, se cambia y va al gimnasio de siete a nueve o queda con amigos. Por la noche cena a las diez y media y se acuesta entre las doce y media y la una.

11. 1. ficción, no ficción; 2. cortometrajes; 3. 22; 4. Milanés; 5. La Bonanova; 6. once de la noche; 7. el domingo; 8. 50 a 100 euros; 9. una exposición de impresionistas franceses; 10. gratuita; 11. sábado y domingo de 12:00 a 16:00h y de 18:00 a 21:00h; 12. invitación.

12. 1. C; 2. A; 3. I; 4. D; 5. K; 6. L; 7. E; 8. G; 9. F.

UNIDAD 8: ¿A CENAR O AL CINE?

1. **Actividades de ocio:** jugar a las cartas, ir al teatro, ir de vacaciones, jugar a la pelota, ver una película, tomar unas copas.

Actividades de trabajo/estudio: hacer un informe, tener una reunión, ir de viaje de trabajo, hacer un curso, tener un examen, ir a la biblioteca.

2. 1. les gusta; 2. les parece; 3. le interesan; 4. me gustan; 5. os importa; 6. te encanta; 7. le duelen; 8. nos interesan; 9. nos encanta; 10. os gusta.

3. Encantar, gustar muchísimo, gustar mucho, gustar bastante, no gustar demasiado, no gustar nada, odiar.

4. 1. C; 2. E; 3. F; 4. H; 5. A; 6. B; 7. D; 8. G.

5. 1. Al niño le gusta la verdura; 2. Al señor le gusta muchísimo/mucho poner la lavadora; 3. Al niño no le gusta nada ir al colegio; 4. El señor odia cocinar; 5. A la chica le gustan muchísimo/mucho las hamburguesas; 6. A la chica le gusta el vestido; 7. Al señor le encanta el ruido; 8. A la chica le gusta bastante despertarse temprano.

6. 1. 3; 2. 6; 3. 5; 4. 4; 5. 7.

7. 1. Gustar y encantar; 2. Odiar; 3. Los verbos como *gustar* se usan generalmente en tercera persona porque el sujeto gramatical en estos casos no es la persona que ejerce la acción sino el objeto o actividad que viene a continuación del verbo *gustar*. En cambio, en los verbos como *odiar* el sujeto gramatical es también la persona que ejerce la acción.

8. **Fruta:** 11; **Verdura:** 10; **Legumbres:** 13; **Aceite de oliva:** 1; **Pescado:** 7; **Carne:** 9; **Pollo:** 8; **Leche:** 5; **Queso:** 4; **Cereales:** 12; **Dulces:** 3; **Helado:** 2; **Huevos:** 6; **Pasta:** 14.

9. **Posible respuesta.**

Primer plato: ensalada mixta, lentejas, verduras al vapor.

Segundo plato: pescado a la plancha con ensalada, sardinas, guisado de ternera, pollo asado con ensalada.

Postres: fruta del tiempo, tarta de manzana, helado.

11. **Posible respuesta:** Los japoneses desayunan, como muy tarde, a las 7 de la mañana pero los españoles lo hacen entre las 6 y las 9. Los japoneses desayunan, entre otros alimentos, arroz, miso y pescado pero los españoles desayunan café con leche, zumo, tostadas o bollos. Los japoneses almuerzan sobre las doce de la mañana pero los españoles almuerzan entre las 10 y las 12. Los japoneses realizan la comida principal sobre las 7 de la tarde y en el menú nunca faltan el arroz y el pescado, los españoles realizan la comida principal de 2 a 4 de la tarde y el menú se compone de dos platos y un postre. Los japoneses solo comen tres veces al día pero los españoles comen cinco veces, después de la comida principal tienen la merienda y la cena.

12. **Partes del cuerpo que le duelen a Diego y síntomas:** los pies, las piernas, la espalda, los hombros y un poco la cabeza, tiene fiebre y tiene tos. **Frases:** le duele todo el cuerpo, le duelen los pies, le duelen las piernas, le duele la espalda, le duelen los hombros, le duele un poco la cabeza, tiene fiebre y tiene tos.

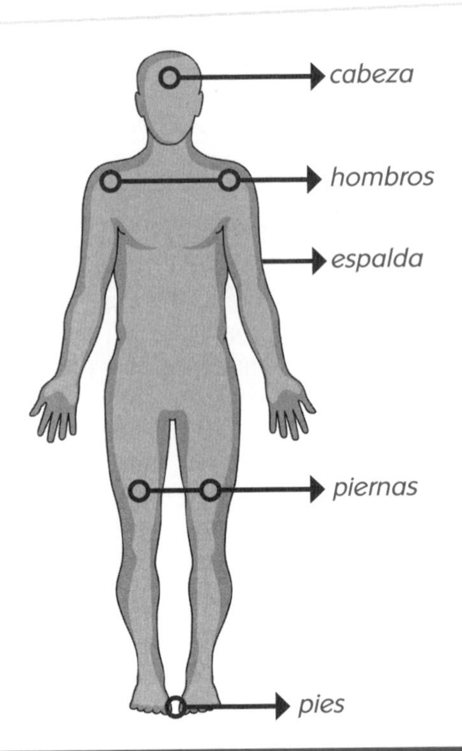

13. 1. I; 2. F; 3. G; 4. C; 5. J; 6. H; 7. E.
14. 1. poco; 2. le gustan más; 3. la naranja; 4. gustan mucho; 5. le encanta el; 6. le gusta muchísimo; 7. refresco; 8. terraza; 9. adora.

UNIDAD 9: NOS VAMOS DE TAPAS

1. 6; 2; 1; 5; 3; 7; 4; 8; 9.
2. 1. b; 2. d; 3. c; 4. c.
3. 1. Los Rodríguez; 2. Buenos días; 3. Gracias; 4. ¿Qué van a tomar?; 5. ¿Algo para picar?; 6. de jamón, de chorizo, salchichón, pimientos rellenos...; 7. cañas; 8. una tapa de tortilla, dos pinchos de jamón, dos de pimientos y uno de salchichón; 9. (Muchas) gracias; 10. ¿Nos trae la cuenta también, por favor?; 11. No, las cañas también son gratis; 12. (¡Ah! Pues) muchas gracias; 13. Adiós.
4. 1. cantando; 2. charlando; 3. bebiendo; 4. saliendo; 5. entrando; 6. bajando; 7. viviendo; 8. escribiendo; 9. comiendo; 10. haciendo; 11. aprendiendo; 12. entendiendo; 13. prohibiendo; 14. aplaudiendo; 15. comprando.
5. 1. dormir; 2. leer; 3. decir; 4. oír; 5. ser; 6. poder; 7. ver; 8. ir.
6. Sergio se divierte saliendo por la noche, viendo una peli de terror, leyendo cómics, charlando con sus amigos, haciendo cursos de cocina y paseando por la playa.
7. **Respuesta abierta.**
8. **Conversación 1: mensajes** a **y** d; **Conversación 2: mensajes** b, c **y** f; **Conversación 3: mensajes** e **y** g.
9. **Proponer algo:** 2 **y** 3; **Rechazar una invitación:** 6; **Concretar una cita:** 1, 4 **y** 5.
10. pena; calle; chico; rayo; voy; llevar; reyes; chamizo; placa; lecho.
11. **Posible respuesta.** 1. lo siento; 2. es que; 3. Qué tal si; 4. qué te parece; 5. la tarde; 6. Podemos ir al cine; 7. a qué hora quedamos; 8. podemos quedar a las cinco; 9. ir al cine; 10. siete; 11. nos vemos; 12. la puerta; 13. el sábado.
12. 1. c; 2. b; 3. a; 4. c; 5. a; 6. d.
13. 1. d; 2. a; 3. c; 4. c; 5. b.

UNIDAD 10: ¡MAÑANA ES FIESTA!

1. 1. e; 2. d; 3. a; 4. h; 5. f; 6. b; 7. c; 8. g.
2. 1. tú; 2. vosotros; 3. usted; 4. ustedes; 5. vosotros; 6. tú; 7. ustedes; 8. vosotros; 9. vosotros; 10. tú; 11. usted; 12. usted.
3. **TÚ:** ve, haz, ven, ten, sal, pon; **USTED:** haga, vaya, ponga, tenga, salga, venga; **VOSOTROS:** salid, venid, tened, poned, haced, id; **USTEDES:** pongan, vengan, vayan, tengan, salgan, hagan.
4. 1. profesor/a; 2. piloto de avión; 3. médico/a; 4. padre/madre; 5. amigo/a; 6. policía.
5. **Estructuras que expresan negación:** ¡Ni hablar!; ¡Bueno, bueno! No lo creo; ¡Que no, que no!; ¡Que no!; ¡No quiero ni oír tonterías como esta!
6. **Estructuras que expresan opinión:** Creo que...; No estoy para nada de acuerdo con; Pienso que...; Opino que...; Estoy muy de acuerdo con...; ¿Pero qué dice usted?; Yo estoy totalmente de acuerdo con...; Tiene razón.
7. **Negación neutra o débil:** ¡Bueno, bueno! No lo creo; **Negación fuerte:** ¡Ni hablar!; ¡Que no!; **Doble negación:** ¡No quiero ni oír tonterías como esta!; ¡Que no, que no!
8. 1. Julio, padre de una niña, está de acuerdo con el médico y la nutricionista. El dietista especializado en alimentación deportiva, Álvaro, está también de

acuerdo con los expertos y con Isabel, madre de tres hijos; **2.** Isabel no está de acuerdo ni con Juan, dueño de un comercio, ni con el doctor Muñoz, ni con Julio; **3.** Los niños deben jugar y hacer gimnasia, no llevar una vida sedentaria; **4.** Los cambios en la forma de alimentarnos y el consumo de alimentos fritos y de comida rápida; **5.** Que hay que concienciar al consumidor sobre los beneficios de la dieta mediterránea; **6.** Prohibir la venta de alimentos altos en grasas saturadas en todos los comercios.

9. Zamora, cigarra, Acacia, sensación, silencio, serpiente, razón, Asunción, cerveza, socorro, zumo, cerezas, zorro, sanción, sensible.

10. 1. B; **2.** D; **3.** E; **4.** C; **5.** J; **6.** I.

11. 1. a; **2.** c; **3.** c; **4.** d; **5.** a.

UNIDAD 11: YA HEMOS LLEGADO

1. he; has; ha; hemos; habéis; han.

2. **Trabajar:** he trabajado, has trabajado, ha trabajado, hemos trabajado, habéis trabajado, han trabajado; **Comer:** he comido, has comido, ha comido, hemos comido, habéis comido, han comido; **Salir:** he salido, has salido, ha salido, hemos salido, habéis salido, han salido.

3. 1. haber; **2.** has; **3.** ha; **4.** hemos; **5.** habéis; **6.** han; **7.** –ado; **8.** –ido.

4. 1. a; **2.** c; **3.** h; **4.** b; **5.** e; **6.** g; **7.** d; **8.** i; **9.** f.

5. Imágenes B y D.

6. **Respuesta abierta.**

7. 1. compuesto; **2.** terminadas; **3.** presente; **4.** *hoy, esta semana, este año, últimamente.*

8. 1. ¿Ha hablado Julia con él? No, todavía no ha hablado con él; **2.** ¿Ha visto usted al jefe de departamento? No, todavía no lo he visto; **3.** ¿Habéis estado en la agencia de viajes? Sí, ya hemos estado; **4.** ¿Ha abierto la puerta principal? No, todavía no la ha abierto; **5.** ¿Han escrito la crónica deportiva? Sí, ya la han escrito; **6.** ¿Has ido últimamente al cine? Sí, ya he ido dos veces esta semana; **7.** ¿Han dicho ellas alguna cosa? No, todavía no han dicho nada; **8.** ¿Ha comentado el telediario de las 15:00h la noticia? No, el telediario de las 15:00h todavía no la ha comentado; **9.** ¿Ha puesto Juan la tele? Sí, ya la ha puesto; **10.** ¿Habéis leído el periódico hoy? No, todavía no lo hemos leído.

9. 1. me he levantado; **2.** he hecho; **3.** he desayunado; **4.** ha llamado; **5.** Hemos quedado; **6.** hemos hablado; **7.** hemos despedido; **8.** he ido; **9.** He comprado; **10.** he visto; **11.** hemos tomado; **12.** He vuelto; **13.** he hecho; **14.** he echado; **15.** he salido; **16.** hemos quedado; **17.** hemos cenado; **18.** ha estado; **19.** he metido.

10. **Respuesta abierta.**

11. 1. F; **2.** V; **3.** F; **4.** V; **5.** F; **6.** V; **7.** F; **8.** V; **9.** F.

12. **Antónimos:** niño, rápidos, juventud, acostarse, energía/vitalidad, han disminuido, comprar, nueva, progresivamente, contento. **Sinónimos:** comprimido, utilización, elasticidad, ha declarado, han comprobado, cientos, satisfechas, se vende, las puertas, efectos secundarios.

13. 1. lunes y viernes/dos días; **2.** ha ido; **3.** ha visto; **4.** ha cenado; **5.** de excursión; **6.** ha tenido; **7.** viernes.

14. 1. I; **2.** D; **3.** E; **4.** G; **5.** A; **6.** C.

UNIDAD 12: VIAJA CON NOSOTROS

1. 1. B; **2.** palabra que sobra; **3.** A; **4.** D; **5.** palabra que sobra; **6.** E; **7.** C; **8.** F.

2. 1. 790 kilómetros; **2.** 11 kilómetros; **3.** En la segunda etapa; **4.** El día 24; **5.** Impresionante, lleno de árboles centenarios, campos verdes y flores; **6.** Solo llovió un poquito el último día; **7.** No, lo harán el año que viene; **8.** Se entiende que muy buena; **9.** **Respuesta abierta.**

3. **BAILAR:** bailé, bailaste, bailó, bailamos, bailasteis, bailaron; **BEBER:** bebí, bebiste, bebió, bebimos, bebisteis, bebieron; **VIVIR:** viví, viviste, vivió, vivimos, vivisteis, vivieron.

4. **SER/IR:** fui, fuiste, fue, fuimos, fuisteis, fueron; **DAR:** di, diste, dio, dimos, disteis, dieron; **ESTAR:** estuve, estuviste, estuvo, estuvimos, estuvisteis, estuvieron; **TENER:** tuve, tuviste, tuvo, tuvimos, tuvisteis, tuvieron; **HACER:** hice, hiciste, hizo, hicimos, hicisteis, hicieron.

5. 1. fue > ser; **2.** nació > nacer; **3.** tuvo > tener; **4.** construyó > construir; **5.** viajó > viajar/ vivió > vivir; **6.** se enamoró > enamorarse/ fue > ser.

6. 1. 2. Dalí nació en Figueres (Girona); **2.** 3. Dalí no tuvo hijos; **3.** 4. La Sagrada Familia fue construida por el arquitecto catalán Antoni Gaudí.

7. 1. mucho; **2.** mucho; **3.** mucho; **4.** mucha; **5.** muy; **6.** muchas; **7.** muy; **8.** mucho; **9.** muy; **10.** mucho.

8.

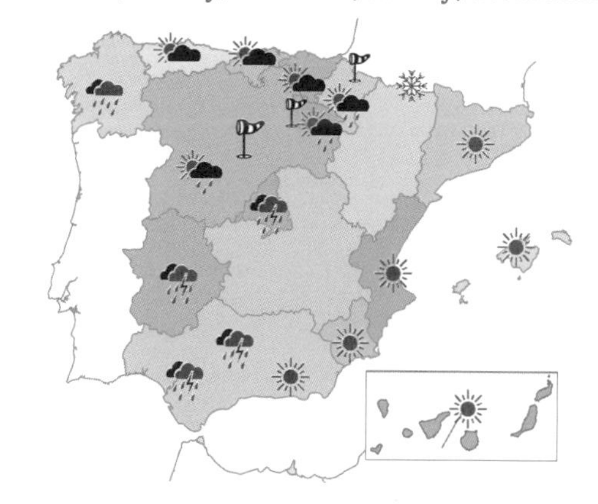

10. Posible respuesta. 1. A Inma le hizo mal tiempo y le llovió todos los días pero, por lo general, en Tenerife hace buen tiempo durante todo el año; 2. A Inma le dijeron que hacía mejor tiempo en el norte, pero es al contrario, hace mejor tiempo en el sur; 3. Para Inma el agua del mar estaba muy fría, según la publicidad las aguas tinerfeñas gozan siempre de unas magníficas temperaturas; 4. La montaña que visitó Inma se llama el Teide, no el Peine; 5. Los vientos dominantes en Tenerife son los alisios, no los elíseos y hacen que el clima se suavice no que sea más frío.

11.

A	L	T	I	L	J	M	P	I	N	V	I	E	R	N	O	B
B	G	R	A	M	B	U	P	Ñ	S	D	C	A	S	X	U	Q
R	I	O	J	U	M	K	L	D	U	F	E	G	W	Y	A	D
I	B	A	S	B	A	S	O	I	F	R	N	E	Z	P	O	I
L	A	B	A	T	C	I	P	V	O	M	E	S	D	R	I	C
H	L	O	T	I	O	T	O	Ñ	O	B	R	S	C	I	X	I
O	F	B	L	Q	U	I	N	I	E	L	O	E	T	M	I	E
V	I	E	M	O	C	T	U	B	R	E	S	P	R	A	B	M
N	T	O	B	U	C	O	J	I	B	I	M	T	A	V	U	B
S	O	F	I	R	A	T	U	M	I	A	S	I	T	E	I	R
M	E	V	O	R	E	O	N	U	R	O	B	E	Z	R	L	E
L	T	M	I	A	H	R	I	Z	J	M	L	M	C	A	E	M
Y	A	T	A	E	C	I	O	M	U	Z	I	B	E	G	O	B
T	R	A	U	Y	M	B	E	R	O	X	A	R	C	U	A	R
L	O	K	O	T	O	B	R	I	S	I	M	E	L	O	N	E
P	A	R	G	U	A	Y	R	A	V	E	R	A	N	O	C	S
E	L	O	I	S	E	N	D	E	O	F	E	R	I	A	D	O

12. 1. cana; 2. moño; 3. pena; 4. suena.

13. 1. lunes; 2. miércoles; 3. viernes; 4. Andalucía; 5. Andalucía, Nueva York o Sitges; 6. Sitges; 7. de julio; 8. agosto; 9. Nueva York.

14. 1. llena; 2. Comunidad; 3. lluvias; 4. joven; 5. ambiente; 6. jardines; 7. la ciudad; 8. los toros; 9. Los Sanfermines.

A1

ANEXO: IMÁGENES

- Actividades por destrezas
- Prueba de expresión e interacción orales

UNIDAD 2. ACTIVIDAD 21

UNIDAD 4. ACTIVIDAD 15

Un ático en el centro de la ciudad.

Una casa unifamiliar en las afueras de la ciudad.

UNIDAD 6. ACTIVIDAD 15

Lámina 1

El entrevistador pregunta

¿  ?

Usted responde

Lámina 2

El entrevistador pregunta

¿  ?

Usted responde

Lámina 3

El entrevistador pregunta

¿  ?

Usted responde

Lámina 4

El entrevistador pregunta

¿  ?

Usted responde

UNIDAD 9. ACTIVIDAD 15

Lámina 1

El entrevistador pregunta

¿  ?

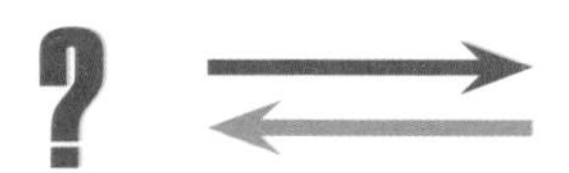

Usted responde

¿Qué puede estar diciendo esta persona por teléfono?

Lámina 2

El entrevistador pregunta

¿  ?

Usted responde

¿Qué está celebrando esta pareja y qué pueden estar diciéndose?

Lámina 3

El entrevistador responde

"La próxima visita al médico es el día 26 a las cuatro de la tarde".

¿  ?

Usted pregunta

Lámina 4

El entrevistador responde

"No te preocupes, cariño, yo recojo a los niños en el colegio. Coge el autobús de las diez y nos vemos en casa".

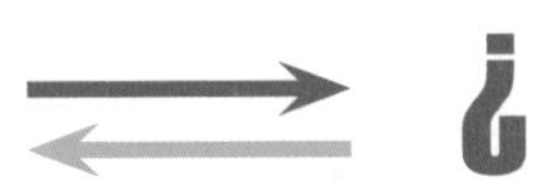

¿  ?

Usted pregunta

UNIDAD 10. ACTIVIDAD 13

Lámina 1

El entrevistador pregunta

¿  ?

Usted responde

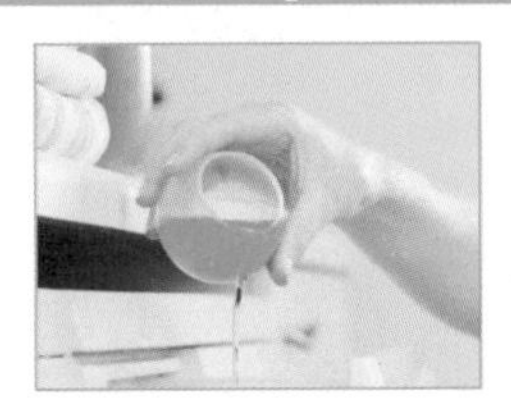

Lámina 2

El entrevistador le pregunta...

¿ *...qué ciudad de España le gusta más y por qué* ?

Usted responde

Lámina 3

El entrevistador responde

"Siga el pasillo y gire a la derecha, la primera puerta es el baño de invitados".

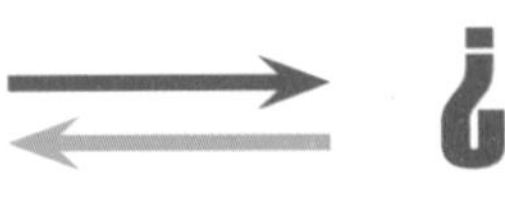

¿  ?

Usted pregunta

Lámina 4

El entrevistador responde

"Me parece que la tradición y la cultura deben conservarse pero no estoy de acuerdo con el sufrimiento de los animales".

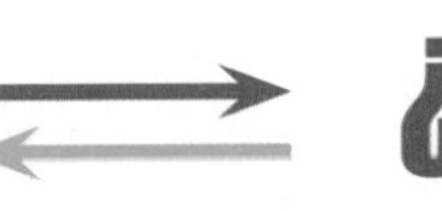

¿  ?

Usted pregunta